300, rue Léon-Joulin, 31101 Toulouse Cedex 100

ISBN : 2-84113-806-2

Le Guide des
Fromages
Connaître, acheter, déguster

Catherine Payen - Michel Barberousse
Textes

Jean-Jacques Raynal - Michel Barberousse
Photographies

Christian Heinrich
Illustrations

MILAN

Sommaire

Lille
Maroilles
Neufchâtel
Amiens
NORD
Pont-l'évêque
Rouen
Caen
Seine
Livarot
Paris
Meaux
Metz
Camembert
de Normandie
Strasbourg
Melun
Rennes
OUEST
Orléans
Chaource
EST
Langres
Munster
Géromé
Nantes
Loire
Selles-sur-cher
Crottin de
Chavignol
Époisses
Dijon
Besançon
Ste-Maure
de Touraine
Valençay
Saône
Pouligny st-pierre
Vacherin
Bleu de Gex
Chabichou
Poitiers
Comté
Abondance
AUVERGNE
Limoges
Reblochon
St-nectaire
Clermont-Fd
Lyon
Beaufort
Bleu d'Auvergne
RHÔNE-ALPES
Bordeaux
Fourme
Salers
Cantal
Grenoble
Sassenage
Rocamadour
Picodon
Garonne
Rhône
Laguiole
SUD-OUEST
Bleu des Causses
Roquefort
Ossau iraty
Brebis des Pyrénées
Toulouse
Montpellier
PROVENCE
Broccio
Marseille
100 km
Ajaccio

Les familles
de fromages

PÂTES MOLLES, PERSILLÉES OU PRESSÉES, FROMAGES DE CHÈVRE ET FROMAGES FRAIS... IL N'EST PAS SI FACILE DE CLASSER LES FROMAGES. EXPLICATIONS.

De gauche à droite : la tomme d'Arles, le brebichon de Haute-Provence, l'alpicrème, le brebis de Haute-Provence, la tomme de Provence à l'ancienne et le banon.

Le fromage est né en Mésopotamie, à la fin du néolithique, ce jour où un berger découvrit que le lait qu'il transportait dans sa gourde s'était en partie solidifié. Éleveurs, les hommes apprirent vite à reproduire et à contrôler ce phénomène, pour fabriquer des fromages frais non affinés, dont le lait était simplement caillé. ■

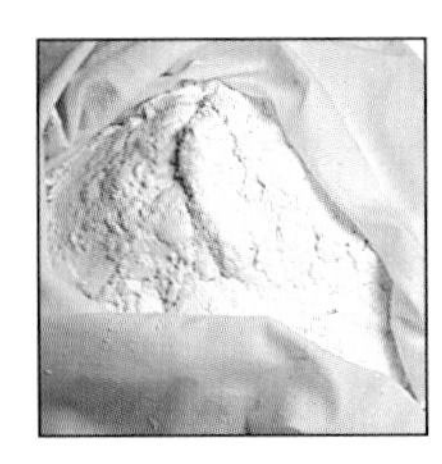

Les fromages frais

Issus de lait caillé (vache, chèvre ou brebis), les fromages frais ont une pâte blanche et sont dépourvus de croûte. Ils peuvent être dégustés salés, poivrés, sucrés ou aromatisés.

Brocciu.

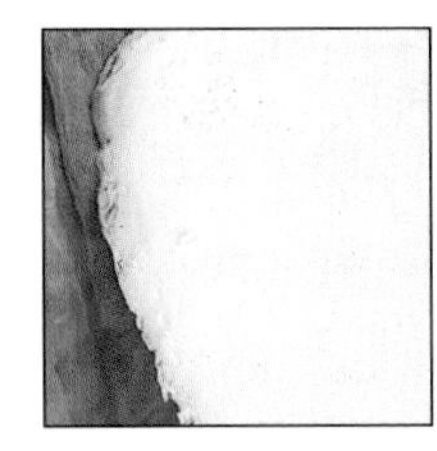

Les fromages de chèvre

Selon l'affinage, les fromages de chèvre ont une pâte fraîche, tendre, demi-dure, voire cassante. Certains sont cendrés, d'autres parsemés d'herbes aromatiques, de poivre ou encore, comme le banon, entourés de feuilles. Citons les picodons, les pélardons, les crottins et les cabécous... D'origine très ancienne – une chèvre fabuleuse, Amalthée, aurait servi de nourrice à Zeus –, les fromages de chèvre n'apparurent en Europe qu'avec les invasions sarrasines.

Cabrigan.

Selles-sur Cher.

Les fromages à pâte molle

Le terme de pâte molle désigne une pâte tendre et non pressée. Ces fromages sont élaborés à partir de lait de vache ou de chèvre cru ou pasteurisé. Certains ont une croûte “fleurie” par les moisissures de champignons (exemples : bries de Meaux et de Melun, neufchâtel, camembert de Normandie, chaource...). D’autres ont une croûte lavée, recouverte de morge (époisses, langres, livarot, maroilles, munster...) de couleur rouge orangé, à cause des fréquents lavages opérés pendant toute la durée de l’affinage.

Munster.

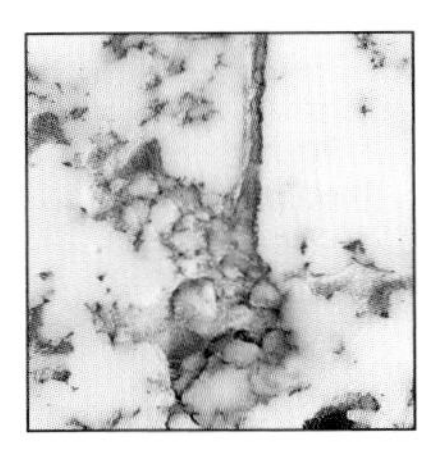

Les fromages à pâte persillée

Ce sont des fromages à pâte molle, qui, ensemencés de spores de pénicillium, développent des moisissures. Démoulés, ils sont mis en hâloirs ou en caves et percés de longues aiguilles pour permettre la circulation de l’air, indispensable au développement des moisissures. Exemples : le bleu de Gex, le roquefort, le bleu des Causses, le bleu d’Auvergne, la fourme d’Ambert.

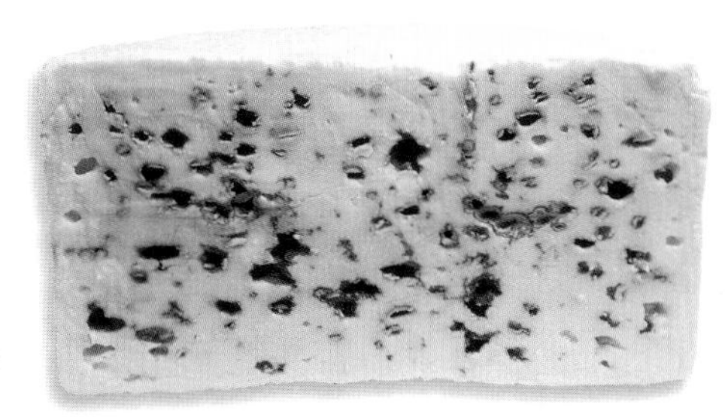

Roquefort.

Les fromages à pâte pressée

Ces fromages, pressés après le moulage, s’égouttent plus complètement. Il existe des fromages à pâte pressée, non cuite, fabriqués à partir d’un lait caillé (présuré) pas trop chauffé afin de conserver l’humidité nécessaire à un affinage de plusieurs mois (l’échourgnac et le chambaran). Les fromages à pâte pressée, cuite, sont des fromages de garde nés dans les alpages de montagne. Ils sont fabriqués à partir d’un caillé présuré fortement chauffé. Pièces de grande taille, ils demandent de longs mois d’affinage, tels le comté, le beaufort ou l’emmental.

Reblochon.

Saint-nectaire.

Les fromages fondus

Nés au début du siècle, ces fromages sont élaborés par la fusion d’une ou plusieurs variétés de fromages écroûtés, découpés, râpés, broyés et mélangés avec du beurre, du lait ou de la crème. Ils peuvent être parfumés avec des épices et des aromates, ou enrichis de noix, de jambon...

L'affinage, une alchimie délicate

À CHAQUE FROMAGE, SA MATURATION. L'AFFINAGE EST UN ART QUI SE JOUE À FORCE DE SOINS QUOTIDIENS APPORTÉS AU PRODUIT... UNE AFFAIRE DE SPÉCIALISTES.

L'affinage est une délicate opération qui consiste à porter le fromage à sa maturation optimale, afin qu'il révèle toutes ses caractéristiques : sa couleur, ses arômes et, surtout, sa saveur. Cette transformation s'opère naturellement, sous l'effet de la présure[1] et des micro-organismes qui prolifèrent à la surface et à l'intérieur de la pâte.

L'affinage évolue différemment selon les types de pâte. Les pâtes pressées, par exemple, ne s'affinent que de l'intérieur. Il peut donc être nécessaire de les "morger" (lavage à l'eau salée) régulièrement. Les pâtes molles, en revanche, s'affinent de l'extérieur vers l'intérieur, car elles possèdent une flore de surface active. Ainsi, celles à croûte fleurie (comme le camembert ou le brie) font apparaître une "fleur", alors que celles à croûte lavée (livarot ou maroilles) se parent de teintes rougeâtres. À l'inverse, les pâtes persillées, s'affinent de l'intérieur vers l'extérieur ; elles sont donc veinées, tels le roquefort ou le bleu des Causses. Enfin, les fromages à pâte cuite (comme l'emmental) sont connus pour leur pâte à trous créées par la fermentation propionique, qui dégage du gaz carbonique.

Deux tommes des Bauges respectivement affinées durant 8 jours et 68 jours.

La durée de maturation varie selon les fromages. D'une dizaine de jours pour un crottin, elle peut s'étendre sur quelques semaines pour un camembert, voire plusieurs mois pour un beaufort ou une tomme. L'affinage s'effectue toujours dans des atmosphères fraîches et humides, mais il existe, là aussi, des différences... Les fromages à pâte molle s'affinent dans un hâloir (séchoir), d'autres, comme le roquefort, dans des caves très aérées, et ceux à pâte pressée, dans des caves plus humides. ■

1 - Substance extraite de l'estomac des ruminants et contenant une enzyme qui fait cailler le lait.

L'affineur, qui selon les régions se nomme aussi le soigneur ou l'éleveur, retourne tous les jours ses fromages, surveille leur maturation, les lave, les brosse, les frotte à la bière ou au marc (ci-contre, le nettoyage des abondances, en Haute-Savoie).

*LES STADES D'AFFINAGE d'une **tomme mi-chèvre** fabriquée sur l'alpage du Semnoz (Haute-Savoie).*

***8 jours.** Les moisissures apparaissent et forment une croûte grisonnante.*

***23 jours.** Une fine croûte gris foncé s'est formée.*

***38 jours.** La croûte a fleuri et forme de petites "vagues".*

***53 jours.** La "fleur" se fane, mangée par des organismes microscopiques.*

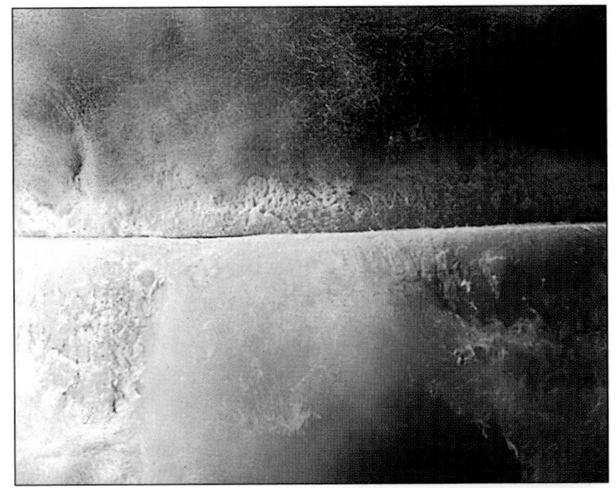

Les fromages à pâte pressée s'affinent de l'intérieur, sauf la tomme de Savoie, sur laquelle pousse une moisissure appelée ***"poil de chat"*** *(en haut, à gauche). Celle-ci, que l'affineur couche par frottage, confère à la tomme un goût typique.*

*Certains fromages à pâte molle se couvrent d'****une croûte fleurie*** *(en bas, à gauche), formée d'un duvet de champignons (moisissures blanches). Leur pâte n'est ni pressée ni cuite. Ils sont élaborés à partir de lait de vache ou de chèvre, cru ou pasteurisé.*

D'autres pâtes molles sont recouvertes d'une ***croûte lavée,*** *issue des fréquents nettoyages à la saumure, à la bière ou au marc. Ils sont légèrement poudrés de moisissures (en haut, à droite, un reblochon) ou couverts de morge de couleur rouge orangé, comme le munster.*

L'ART DE RECONNAÎTRE LE BON DEGRÉ D'AFFINAGE *

	Manque d'affinage	Affinage à point	Affinage dépassé
Chèvres	Croûte fine Pâte crayeuse Goût acide et neutre	Croûte épaisse, ondulée Pâte onctueuse Goût de chèvre typé	Croûte très foncée Pâte très sèche Goût piquant
Pâtes molles, à croûte fleurie (affinage à point : 4 à 6 semaines)	Fleur vivace et homogène Croûte ondoyante Pâte en partie crayeuse Goût acidulé et saveur faible	Fleur marbrée Pâte homogène Texture onctueuse Saveur épanouie	Croûte desséchée, teinte passée Pâte desséchée et coulante Odeur ammoniacale Goût piquant
Pâtes molles, à croûte lavée (affinage à point : 6 à 12 semaines)	Croûte pâle Pâte en partie crayeuse Odeurs et saveurs faibles Goût lactique	Croûte rouge orangé Pâte homogène Texture onctueuse Saveur relevée Odeur typée	Croûte desséchée et foncée Pâte desséchée ou coulante Couleur foncée Goût agressif Odeur prégnante
Pâtes pressées, cuites (affinage à point : 9 à 24 semaines)	Couleur pâle non établie Texture granuleuse Manque de liant Goût insipide	Couleur affinée et nette Texture liée et souple Goût développé et typé	Goût déclinant
Pâtes persillées	Pâte blanche Persillage insuffisant Pâle et crayeux Goût acidulé	Persillage homogène Bleu affirmé Pâte grasse et beurrée Goût franc et typé	Persillage jaunâtre Pâte desséchée et friable Goût piquant et saponifié

* Ce tableau a été établi par les fromagers appartenant au Cercle des fromagers.

Le mariage
délicat du fromage et du vin

UN VERRE DE VIN, UNE TRANCHE DE PAIN ET QUELQUES BONS FROMAGES... VOILÀ QUI SUFFIT À FAIRE UN EXCELLENT REPAS ! MAIS LE MARIAGE DE CES SAVEURS EST UN ART DIFFICILE.

Contrairement à une idée reçue, le vin rouge n'est pas le seul vin que l'on puisse servir avec un fromage. Les vins blancs comme les vins rosés permettent aussi, en fonction des fromages, de développer des saveurs agréables, voire inoubliables. Pour Daniel Denis, président des Sommeliers de Lyon et de la région Rhône-Alpes, *« un vin blanc des côtes du Rhône, tel qu'un **hermitage**, un saint-joseph, un crozes-hermitage ou encore un saint-péray, tous issus des cépages roussanne ou marsanne, s'accorde bien avec un plateau réunissant un fromage de vache, un brebis et un chèvre. Ce plateau sera également mis en valeur par un blanc de Savoie, comme le **chignin-bergeron**, né également du cépage roussanne. »* Pour Jean-Romain Maréchal, fromager affineur à Lyon et membre du Cercle des fromagers, *« 70 % des fromages se marient particulièrement bien avec des vins blancs.*
Mais, après un repas accompagné de vins rouges, il est parfois délicat de boire un vin blanc au moment du fromage. En définitive, il ne faut pas hésiter à demander conseil à son fromager. Porteurs d'une mémoire, nous savons marier un vin (et son année) avec un fromage. D'ailleurs, les années réputées pour les vins le sont également pour les fromages. Ainsi, en 1998, les coteaux du Jura vont produire de très grands vins et les fromages de garde, comme le comté, le beaufort et l'abondance, seront excellents. Il faut gérer ses fromages comme sa cave à vins, et acheter dès cette année les vins et les fromages qui, en l'an 2000, seront savoureux. »

QUATRE ACCORDS PARFAITS

Un comté, en provenance d'une fruitière, entreposé l'été, affiné pendant un an et sentant bon l'alpage, avec un vin du Jura ou un château-chalon d'une dizaine d'années.

Un munster-géromé attendri à cœur, avec un gewurztraminer issu de vendanges tardives. Au nez, la puissance du munster se marie avec le fruité du gewurztraminer. En bouche, le gras et la rondeur du fromage s'allient parfaitement avec la douceur du vin.

Un roquefort bien gras, un peu suintant, tartiné sur du pain de campagne grillé s'entend à merveille avec un banyuls-rimage, ou encore avec un rasteau issu de grenache noir.

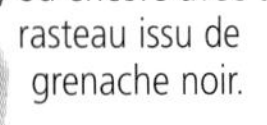

Un mont d'or du haut Doubs, ou vacherin, à la croûte dorée et à la pâte jaune pâle, un peu coulante, procurera un plaisir pur servi avec un condrieu.

À CHAQUE TYPE DE FROMAGE, SON VIN

Tomme de brebis	Un haut-médoc, un graves rouge. Conviennent aussi les vins de Loire, comme un chinon vieux de cinq à six ans.
Pâte persillée (roquefort)	Un vin doux naturel ou vin botrytisé. Conviennent aussi un maury, un banuyls, un rasteau ou un sauternes.
Fromage de chèvre	**Frais :** un rosé comme le tavel, un côte de Provence ou un bandol, un sancerre rosé ou encore un marsannay issu de pinot noir. **Mi-sec** (badigeonné d'une touche de miel) : un condrieu issu du cépage viognier. **Sec :** un blanc du Mâconnais, un pouilly-fuissé, un loché ou un vinzelles.
Fromages de vache	
Camembert, brie, coulommiers ou saint-marcellin	Un vin blanc de type chardonnay, saint-véran, pouilly-fuissé, voire un côtes-de-beaune.
Vacherin et reblochon	Un beaujolais blanc.
Tomme de vache (saint-nectaire ou salers)	Un côte du Rhone du sud, gigondas, un châteauneuf-du-pape ou un haut-médoc.

Brocciu Appellation d'origine contrôlée
Banon Autre fromage

Le Sud-Est

avec Gérard Paul, fromager à Aix-en-Provence

PROVENCE ET CORSE

Nous voici en pays de brebis et de chèvres !
Des Alpes du Sud jusqu'à la Camargue et des bords du Rhône à la Corse, les saveurs fromagères sont ici toujours franches et souvent corsées.
Comme son père, fondateur de la fromagerie Paul, à Aix-en-Provence, Gérard Paul, vice-prévôt de la Guilde des fromagers, "élève" ces trésors aux parfums de garrigue dans ses caves, et les "amène à cœur", pour qu'ils révèlent leurs saveurs subtiles.

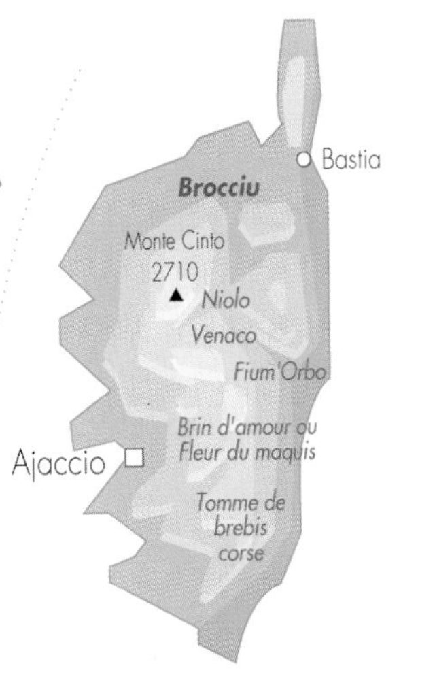

Deux parcours gustatifs

De la tomme d'Arles aux brebis de Provence

Le **brebichon de Haute-Provence** 5 : une saveur noisettée, que l'affinage peut corser.

Sous sa croûte naturelle, l'**alpicrème** 2 abrite une pâte molle, douce et noisettée.

Doux, le **brebis de Haute-Provence** 3 tire sa saveur de l'ajout de plantes aromatiques.

■ Les chiffres indiquent l'ordre de dégustation conseillé.

Fraîche, la **tomme de brebis d'Arles** 1 possède un léger goût de brebis.

Roi des fromages de Provence, le **banon** 6 lorsqu'il est jeune, dégage une saveur douce et noisettée.

La **tomme de Provence à l'ancienne** 4 est à la fois onctueuse et crémeuse en bouche.

Banon et tommette à l'huile d'olive

Enveloppé dans sa feuille de châtaignier, lorsqu'il est affiné plus de quinze jours, le **banon** 4 offre un goût puissant, corsé, avec une légère saveur caprine.

Légère et parfumée, **la tommette à l'huile d'olive** 3 laisse en bouche son goût frais d'olive et de plantes aromatiques.

Il a le parfum des herbes de Provence. Et bien affiné, le **chèvre des Alpilles** 1 peut développer une saveur puissante.

Toute la subtilité de la Provence dans ce **pèbre d'aï** 2 onctueux et relevé par la sarriette.

« Avec son côté canaille, le banon est un fromage millénaire, recherché pour son onctuosité et sa fragrance uniques. »

Bonnes adresses

Édouard Céneri, La Ferme savoyarde, 22, rue Ménadier, 06400 Cannes.
Les Clarines, 65, cours La Fayette, 83000 Toulon.
Fromagerie Monique, 54, cours Carnot Maurice, 13160 Châteaurenard.
Gérard Paul, 9, rue des Marseillais, 13100 Aix-en-Provence.

CHÈVRE Pâte molle

Alpicrème

FROMAGE FERMIER

L'alpicrème est fabriqué, dans les Alpilles, de manière traditionnelle. Il garde volontiers une odeur de chèvre et possède une consistance molle, comparable à celle de la crème. Sa saveur est douce et noisettée. Il doit être affiné durant une semaine au minimum. Sa croûte est beige clair et sa pâte, molle, est non pressée et non cuite. Fromage de plateau, il se déguste du printemps à l'automne.

Terroir : massif des Alpilles.
Diamètre : 8 cm à 10 cm.
Épaisseur : 1,5 cm à 2 cm.
Poids : 80 g à 120 g.
Production : fermière.
Lait : cru.

Vin blanc sec des coteaux du Ventoux.

Sous la croûte beige clair se dissimule une pâte dont la consistance molle rappelle celle de la crème.

FERMIERS OU LAITIERS ?...

On les dit fermiers, laitiers, monastiques... mais, en droit, seules deux définitions existent : les fromages fermiers, faits à la ferme, par le producteur, avec le lait d'un seul troupeau et selon des techniques traditionnelles et les fromages laitiers, fabriqués dans des laiteries, appelées fruitières dans les Alpes et le Jura, et à partir du lait de plusieurs troupeaux.
Les autres classifications relèvent souvent d'une simple démarche commerciale. Ainsi, il est permis de supposer qu'un fromage artisanal est fabriqué dans une entreprise employant moins de dix salariés (mais aucun texte n'appuie cette notion). Il existe aussi, mais ça n'est pas notre propos, des fabrications industrielles.

CHÈVRE Pâte molle

Banon à la feuille

FROMAGE FERMIER OU ARTISANAL

C'est le fleuron des fromages de Provence. L'appellation "fromage de banon" est mentionnée pour la première fois en 1270, dans les sentences arbitrales de Banon et de Saint-Christol, dans les Alpes-de-Haute-Provence. La légende prétend même que l'empereur romain Antonin le Pieux serait mort d'une indigestion de banon ! Fabriqué selon la tradition, ce fromage, dont émanent des senteurs de terroir, est considéré comme l'un des ambassadeurs de la montagne de Lure et du pays de Forcalquier.
Il devrait obtenir prochainement son appellation d'origine contrôlée.
Ce fromage de chèvre à pâte molle, non pressée et non cuite, est plié, dix jours après le démoulage, dans quatre à cinq feuilles de châtaignier. Liées avec du raphia naturel, celles-ci peuvent avoir été préalablement trempées dans de l'eau-de-vie. L'affinage dure entre dix et quarante jours, dans une cave humide. La pâte devient alors homogène, crémeuse, onctueuse et souple. Sa fine croûte, de couleur blanche à jaune crème, brunit légèrement, et les nervures des feuilles s'impriment plus ou moins. La saveur est douce et noisettée. Plus l'affinage est poussé, plus le goût se fait puissant, voire corsé, si bien que le fromage dégage une odeur d'humus. Fromage de plateau, il se déguste à partir du printemps, jusqu'au début de l'automne.

Terroir : région de Banon.
Diamètre : 7,5 cm à 9 cm.
Épaisseur : 1,5 cm à 3 cm.
Poids : 100 g environ.
Production : fermière et artisanale.
Lait : cru et entier.

Vin blanc sec des coteaux du Ventoux, ou vin rouge, selon l'affinage.

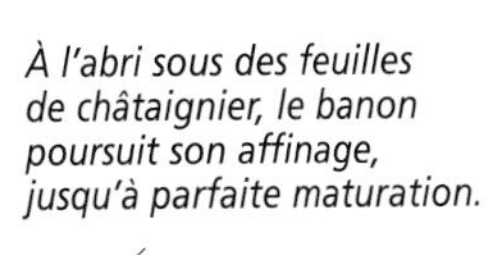

À l'abri sous des feuilles de châtaignier, le banon poursuit son affinage, jusqu'à parfaite maturation.

BREBIS **Pâte molle**

Brebichon de Haute-Provence

FROMAGE FERMIER

Terroir : Haute-Provence.
Diamètre : 10 cm.
Épaisseur : 3 cm à 4 cm.
Poids : 300 g.
Production : fermière.
Lait : cru.

Vin blanc sec ou vin rouge.

Le brebichon est un fromage de création récente. Son nom, il le doit au fromager Gérard Paul, lequel l'a soufflé à sa créatrice, qui ne savait comment le nommer... Que dire du brebichon ? Peut-être qu'il est au fromage de brebis ce que le reblochon est à celui de vache. Sa pâte non cuite, légèrement pressée, molle et lisse, est parsemée d'ouvertures. Sa croûte est rustique, et il dégage une saveur noisettée qui se corse de plus en plus au fil de l'affinage. Celui-ci s'étend sur quatre à six semaines, durée pendant laquelle la pâte prend une belle couleur ivoire. Ce fromage de plateau se déguste à partir de l'été.

Sous une croûte rustique, le brebichon offre une pâte molle, qui dégage un léger goût de brebis.

BREBIS **Pâte molle**

Brebis de Haute-Provence

FROMAGE FERMIER

Le brebis de Haute-Provence ou sa variante, le brebis du Luberon, s'apparentent aux fromages de brebis que l'on trouve dans le sud de la France. Mais l'ajout de plantes aromatiques leur donne une spécificité toute provençale. Ce caillé lactique, à pâte molle, est saupoudré de sarriette sèche, tandis que celui du Luberon est agrémenté de sarriette fraîche. Son affinage peut durer un mois ; sa saveur douce s'en trouvera plus ou moins corsée. Il se déguste frais ou sec, selon l'heure, au printemps ou en hiver.

Terroir : Provence.
Diamètre : 5 cm.
Épaisseur : 2 cm.
Poids : 60 g.
Production : fermière.
Lait : cru.

Vin blanc sec des coteaux du Ventoux.

BREBIS **Pâte molle**

Brin d'amour fleur du maquis

FROMAGE ARTISANAL OU LAITIER

Terroir : Corse.
Dimensions : 10 cm à 12 cm.
Épaisseur : 5 cm à 6 cm.
Poids : 600 g à 700 g.
Production : fermière ou artisanale.
Lait : cru.

Vin rouge charpenté du Cap Corse.

La fleur du maquis et le brin d'amour, comme le fium'orbo (lire page 33), sont des fromages qui rendent hommage à la végétation corse. Fabriqués depuis fort longtemps, ces chèvres de forme carrée dégagent une forte odeur de plantes. Ils sont, en effet, aromatisés aux herbes et au poivre. Ces pâtes molles, non pressées et non cuites, possèdent une croûte naturelle enrobée de sarriette et de romarin, et parsemée en son centre de piments et de baies de genièvre. Fines et légèrement acidulées, elles dégagent une saveur noisettée qui peut être douce, mais se corse avec le temps. Peu affinés, ces fromages ont une forte odeur d'aromates. S'ils sont très affinés, en revanche, leur odeur est proche de celle d'une étable. L'affinage dure au moins entre deux et trois mois.
Ces fromages de plateau sont aussi très appréciés en casse-croûte.
Ils se consomment à partir de l'hiver, jusqu'à l'été.

Véritable hommage à la végétation corse, le brin d'amour est aromatisé aux herbes et au poivre.

CHÈVRE OU BREBIS **Fromage frais**

Brocciu

FROMAGE FERMIER - AOC

Le brocciu (ou broccio) n'a obtenu son appellation d'origine contrôlée qu'en 1983. Longtemps, en effet, il ne fut considéré que comme un produit laitier, car il est fabriqué à partir de petit lait. Il faut, en tout cas, onze litres de lait de chèvre ou de brebis pour obtenir le petit lait nécessaire à la fabrication d'un kilo de fromage. Frais, il est blanc et crémeux. Sec, sa pâte est blanche et couverte d'une fine pellicule de couleur blanc cassé à crème.
Très apprécié, c'est un fromage vendu sur les marchés, dans des paniers d'osier : 85 % de sa production se consomme frais. Fabriqué entre novembre et juillet, il utilise la traite du soir et celle du matin. Chauffé à 35 °C, le petit lait est salé, avant de se voir ajouter 10 % à 15 % de lait frais. Le mélange est ensuite porté à 90 °C. Déposé dans une faisselle, il est égoutté par couches successives, puis salé. Il peut être affiné comme n'importe quel fromage. Doux, il plaît à tous et peut être accompagné de confiture, de sel et de poivre, ou bien arrosé de marc, ce qui le rend encore plus parfumé, plus "gouleyant". Il se mange chaud ou froid, du printemps à l'automne pour le chèvre, et de l'hiver au début de l'été pour le brebis, et toute l'année lorsqu'il est affiné. Il entre dans la composition de nombreuses recettes.

Terroir : Corse.
En faisselles de différentes tailles.
Poids : de 500 g à 1 kg.
Production : fermière.
Lait : cru.

Marc de Corse.

La pâte blanche du brocciu est couverte d'une fine pellicule.

CHÈVRE **Pâte molle**

Cabrigan

FROMAGE FERMIER

Créé récemment par des producteurs de Haute-Provence, le cabrigan est le fruit d'une double préoccupation : défendre un savoir-faire pointilleux – la tradition du lait cru –, et développer un fromage plus proche des désirs des consommateurs. Il s'agit, en effet, de satisfaire une demande en fromage plus doux, plus crémeux, et à l'arôme moins dense. Le cabrigan présente une autre originalité : sa forme triangulaire. Exclusivement fait au lait de chèvre, ce fromage à pâte molle, non pressée et non cuite, se déguste frais ou après un affinage qui demande dix à trente jours, en cave humide.
Il se consomme du début du printemps à l'automne.

Terroir : Haute-Provence.
Pavé triangulaire.
Poids : 150 g.
Production : fermière.
Lait : cru.

Rosé des coteaux d'Aix.

CHÈVRE **Pâte tendre**

Cendré de la Drôme

FROMAGE FERMIER

Très proche du picodon, le cendré de la Drôme est un chèvre fermier, dont la pâte molle et tendre se coupe nettement. Son affinage s'écoule sur une période de douze jours à un mois, pendant laquelle sa croûte naturelle se développe et devient bleuâtre. Il est ensuite cendré au charbon de bois. Crémeux, il est onctueux, fondant, à la saveur noisettée. Sec, il a un goût plus typé.
Fromage de plateau, il se consomme du printemps à l'automne.

Terroir : Drôme provençale.
Diamètre : 8 cm à 9 cm.
Épaisseur : 2 cm.
Poids : 100 g.
Production : fermière.
Lait : entier.

Coteaux blancs du Ventoux.

CHÈVRE **Pâte tendre**

- **Terroir :** Saint-Rémy-de-Provence.
- **Diamètre :** 6 cm.
- **Épaisseur :** 2 cm.
- **Poids :** 60 g.
- **Production :** fermière.
- **Lait :** cru.

Coteaux blancs du Ventoux, Bellet, Côtes-de-Provence.

Chèvre des Alpilles

FROMAGE FERMIER

Ce jeune fromage est fabriqué au pied des Alpilles, dans la région de Saint-Rémy-de-Provence. Sa pâte tendre, non pressée, non cuite, subit un affinage d'au moins dix jours. Cette période lui permet de développer toute sa saveur ainsi que son parfum particulièrement aromatique. Délicat, le goût de ce fromage fermier tend à devenir robuste au fur et à mesure de son vieillissement. Saupoudré d'herbes de Provence et de baies rouges, qui ressemblent à du genièvre, le chèvre des Alpilles, développe un bouquet aux senteurs de garrigue provençale. Sa saveur est très douce. Fromage de plateau, ce chèvre se mange crémeux, pendant tout l'été.

Saupoudré d'herbes de Provence et de baies rouges, le chèvre des Alpilles développe une saveur très aromatique.

CHÈVRE **Pâte tendre**

- **Terroir :** Provence.
- **Diamètre :** 7 cm.
- **Épaisseur :** 3 cm.
- **Poids :** 90 g.
- **Production :** fermière.
- **Lait :** cru.

Coteaux blancs du Ventoux, Madiran, Gaillac, Cahors.

Chèvre du Ventoux

FROMAGE FERMIER

La légende veut que des chèvres se soient échappées d'un bateau grec qui avait fait naufrage, et aient trouvé refuge dans le massif du Rove, dont elles tiennent le nom de leur race. Le lait de ces chèvres (les roves), produit en faible quantité, est très parfumé et possède un goût particulier, entre la chèvre et la brebis. C'est une pâte tendre, non pressée et non cuite, affinée au moins durant deux semaines. Ce fromage se déguste plus ou moins sec. Sa saveur, un peu noisettée, est très agréable. Fromage de plateau, il se savoure du printemps à l'automne.

Sous sa croûte naturelle, le chèvre du Ventoux offre une pâte tendre, légèrement fruitée, au goût de lait.

CHÈVRE **Pâte pressée, non cuite**

Chèvre de Provence

FROMAGE FERMIER

Cette pâte pressée, non cuite, à la croûte naturelle, est fabriquée par des éleveurs originaires de Savoie. Affinée deux mois en cave humide, elle possède un goût doux et légèrement caprin qui s'oriente vers celui de la noisette, au fil de son affinage. Ce fromage se consomme du printemps à l'automne.

- **Terroir :** Haute-Provence.
- **Diamètre :** 13 cm.
- **Épaisseur :** 4 cm.
- **Poids :** 400 g.
- **Production :** fermière.
- **Lait :** cru.

Vin blanc sec de Provence.

CHÈVRE OU BREBIS **Fromage frais**

Faisselle de chèvre

FROMAGE FERMIER

Ce fromage fermier porte le nom du récipient dans lequel il est vendu : la faisselle. Comme nombre de fromages frais, ce chèvre se déguste à la petite cuillère, du printemps à l'automne, nature, salé ou agrémenté de ciboulette ou de miel liquide d'acacia. Il s'imprègne des ingrédients qui l'accompagnent et emplit le palais de multiples saveurs.

Terroir : Provence.
En faisselle.
Production : fermière.
Lait : cru.

Côtes-de-Provence.

BREBIS **Pâte molle**

Fium'orbo

FROMAGE FERMIER

Ce fromage porte le nom d'une petite rivière du nord de la Corse. Le fium'orbo est un fromage de brebis à pâte molle, dont la croûte lavée est légèrement orangée. Elle est d'ailleurs souvent marquée par la faisselle dans laquelle le caillé s'est égoutté. Son affinage, qui dure au moins deux mois, permet de développer une saveur qui devient très puissante. Au cours de cette période, le fromage est retourné tous les deux jours.
Fromage de plateau, il se consomme de l'hiver au début de l'été.

Terroir : Corse.
Diamètre : 10 cm à 12 cm.
Épaisseur : 4 cm.
Poids : 400 g à 450 g.
Production : fermière.
Lait : cru.

Vin rouge de Corse.

CHÈVRE OU BREBIS **Pâte molle**

Gavotine

FROMAGE FERMIER

La gavotine est un fromage dérivé du pèbre d'aï (lire page 34). Il est saupoudré de sarriette, mais cette plante aromatique n'est pas ajoutée à la pâte, lors de la phase de fabrication. Issue de lait de chèvre ou de brebis, la gavotine est un caillé lactique. Ce fromage à pâte molle, à la croûte naturelle, peut se déguster frais, ou après un affinage qui s'étend de quinze à trente jours, dans une cave humide. Sa croûte naturelle prend alors une teinte légèrement brune. Onctueuse, la gavotine développe une saveur douce et un parfum aromatique.
Elle peut se déguster au début du printemps et au commencement de l'automne.

Saupoudrée de sarriette, la croûte naturelle de la gavotine brunit au cours de son affinage.

Terroir : Provence.
Diamètre : 7 cm.
Épaisseur : 3 cm.
Poids : 150 g.
Production : fermière.
Lait : cru.

Rosé des coteaux d'Aix.

BREBIS Pâte molle

Niolo

FROMAGE FERMIER

Terroir : Corse (plateau de Niolo).
Diamètre : 12 cm à 13 cm.
Épaisseur : 4 cm à 4,5 cm.
Poids : 400 g à 500 g.
Production : fermière.
Lait : cru.

Vin rouge charpenté du Cap Corse.

Bien que de forme carrée, ce fromage de brebis a les bords arrondis. Sous une croûte naturelle, il possède une pâte ferme et poreuse qui dégage une forte odeur caprine, légèrement piquante. Affinée trois à quatre mois dans une cave humide, cette pâte molle bénéficie d'une macération dans la saumure.
Elle se déguste de l'été à l'automne.

BREBIS Pâte molle

Petit pastre camarguais

FROMAGE FERMIER

Ce fromage provient de petits élevages provençaux à faible production laitière. Cependant, grâce à un climat favorable, certains éleveurs arrivent à prolonger, au-delà de l'automne, la phase de production qui débute au printemps. Le petit pastre camarguais est un fromage au lait de brebis, assez rustique, crémeux et très fluide. Il est affiné durant au moins deux à trois semaines. Sa croûte naturelle est ivoire.
Fromage de plateau, il se déguste du printemps à l'hiver.

Terroir : Provence.
Diamètre : 8 cm à 10 cm.
Épaisseur : 1,5 cm à 2 cm.
Poids : 80 g à 120 g.
Production : fermière.
Lait : cru.

Vin blanc sec des coteaux du Ventoux.

CHÈVRE OU BREBIS Pâte molle

Poivre d'âne ou pèbre d'aï

FROMAGE FERMIER

Terroir : Provence.
Diamètre : 7 cm.
Épaisseur : 3 cm.
Poids : 150 g.
Production : fermière.
Lait : cru.

Rosé des coteaux d'Aix.

Le pèbre d'aï tient son nom de l'appellation provençale de l'herbe qui sert à l'aromatiser : la sarriette. Cette plante, à laquelle sont prêtées des vertus aphrodisiaques, se marie parfaitement avec le fromage. Le fromager ajoute à cette pâte molle, issue de lait de chèvre ou de brebis, un ou deux brins de sarriette ; il peut également la saupoudrer de sarriette en feuilles entières ou moulues. Ce fromage à pâte molle, non pressée et non cuite, peut se déguster frais ou après un affinage qui s'étend de quinze à trente jours, dans une cave humide. Sa croûte naturelle prend alors une teinte légèrement brune. Il est onctueux, à la saveur douce et au parfum aromatique.
Il peut se déguster au début du printemps et au début de l'automne.

La sarriette, qui recouvre la croûte naturelle du pèbre d'aï, donne toute sa saveur à la pâte molle de ce chèvre fermier.

CHÈVRE Pâte molle

Saint-Mayeul

FROMAGE FERMIER

Fabriqué sur le plateau de Valensole, ce fromage est un caillé doux tel qu'il s'en fabrique traditionnellement dans le Sud. Grâce à l'ajout de présure, les caillés doux sont travaillés en trois heures, et non en vingt-quatre heures comme les caillés lactiques.
Ce fromage de chèvre à pâte molle et à croûte naturelle s'affine durant un mois environ. Il prend alors une saveur noisettée, qui peut devenir très puissante en fin d'affinage. Fromage de plateau, il se déguste du printemps à l'automne.

Terroir : plateau de Valensole.
Diamètre : 12 cm.
Épaisseur : 1,5 cm à 2 cm.
Poids : 200 g.
Production : fermière.
Lait : cru.

Vin blanc sec des coteaux du Ventoux.

CHÈVRE Pâte tendre

Saint-Rémois

FROMAGE FERMIER

Ce fromage a les mêmes caractéristiques que le chèvre des Alpilles (lire page 32), mais il n'est pas saupoudré d'herbes. Il s'agit d'un fromage de création récente. Sa pâte tendre, non pressée, non cuite, subit un affinage d'au moins dix jours. Cette période lui permet de développer saveur et onctuosité. Fromage de plateau, il se mange crémeux, l'été. Sa saveur est douce.

Terroir : Saint-Rémy-de-Provence.
Diamètre : 6 cm.
Épaisseur : 2 cm.
Poids : 60 g.
Production : fermière.
Lait : cru.

Coteaux blancs du Ventoux, Bellet, Côtes-de-Provence.

CHÈVRE Pâte molle

Terroir : Verdon.
Diamètre : 12 cm.
Épaisseur : 1,5 cm à 2 cm.
Poids : 110 g.
Production : fermière.
Lait : cru.

Vin blanc sec des coteaux du Ventoux.

Sublime du Verdon

FROMAGE FERMIER

Ce fromage est très proche du saint-mayeul, si ce n'est qu'il est carré et non rond. Le sublime du Verdon est un caillé doux à pâte molle et croûte lavée, dont l'affinage s'étend sur un mois. Il se dote alors d'une croûte légèrement striée, humide et de couleur ocre clair. Sa saveur noisettée est puissante et corsée. Fromage de plateau, il se déguste du printemps à l'automne.

Sa croûte est légèrement striée, sa forme est carrée. Le sublime du Verdon développe une saveur puissante et corsée.

CHÈVRE Pâte molle

- **Terroir :** plateau de Valensole.
- Forme conique.
- **Poids :** 60 g.
- **Production :** fermière.
- **Lait :** cru.

Coteaux blancs du Ventoux.

Tétoun

FROMAGE FERMIER

Le tétoun est issu du fruit des recherches et de l'imagination d'un producteur installé à Valensole, qui, ayant choisi de revenir à la terre, a créé un petit fromage au nom évocateur... Ce fromage de chèvre, à pâte molle, est un caillé lactique, de forme conique (car il est moulé dans le creux de la main), saupoudré de sarriette. Un grain de poivre trône au sommet du cône. Son affinage dure une dizaine de jours. Très aromatique, il développe une saveur douce. Fromage de plateau, il se déguste du printemps à l'automne.

CHÈVRE Pâte molle

Tomme de Provence à l'ancienne

FROMAGE FERMIER

Digne héritière des premiers fromages provençaux, la tomme de Provence utilise une technique de fabrication très ancienne, comme semblent en attester d'antiques faisselles. Caillée à partir de lait de chèvre, elle s'affine en dix jours ou en trois semaines. La croûte se colore alors en brun et la saveur est douce et noisettée. Elle se déguste du printemps à l'automne.

- **Terroir :** Provence.
- **Diamètre :** 6 cm à 8 cm.
- **Épaisseur :** 1,5 cm à 2 cm.
- **Poids :** 95 g environ.
- **Production :** fermière.
- **Lait :** cru et entier.

Vin blanc sec des coteaux du Ventoux, ou vin cuit de Provence.

CHÈVRE Fromage frais

- **Terroir :** Provence.
- **Diamètre :** 10 cm.
- **Épaisseur :** 2 cm.
- **Poids :** 120 g.
- **Production :** fermière.
- **Lait :** cru.

Rosé de Provence.

Tommette à l'huile d'olive

FROMAGE FERMIER

Ce fromage porte en lui toutes les senteurs de la Provence. La tommette à l'huile d'olive est un fromage fermier frais, agrémenté d'herbes de Provence, de poivre en grains, d'une feuille de laurier et de baies rouges qui ressemblent à du genièvre. Imbibé d'huile d'olive, il est conservé dans un film plastique afin de garder toute sa fraîcheur ; ainsi, l'huile et les plantes aromatiques imprègnent-elles lentement la pâte fraîche de ce fromage fermier, qui, peu à peu révèle toutes les saveurs de la Provence. Légère et parfumée en bouche, la tommette à l'huile d'olive laisse un arrière-goût fruité et aromatisé. Elle se déguste du printemps à l'automne.

Agrémentée d'herbes de Provence, de poivre en grains, de baies et de laurier, la tommette à l'huile d'olive laisse en bouche un doux parfum de Provence.

BREBIS Pâte pressée

Tomme de brebis de Camargue

FROMAGE FERMIER

Ce fromage était autrefois fabriquée dans tous les mas de Camargue. Cette pâte pressée servait, en effet, à nourrir la famille et les ouvriers qui travaillaient à la ferme. Certaines étaient néanmoins vendues sur le marché des Lices, en Arles. Sa recette a longtemps été transmise de bergers en bergers, comme fondement de leur identité. Ce caillé présuré est issu du lait supplémentaire produit par les brebis, à l'époque de l'agnelage. Après l'avoir découpé, le fromager le brasse et le moule. Le moule est ensuite retourné une fois et pressé par un poids d'environ huit kilos. Démoulé le lendemain, ce fromage est salé et séché. Très parfumée, proche d'un jeune parmesan, la tomme de Camargue dégage un léger goût de brebis. Son affinage peut durer entre six mois et un an. Ce fromage peut être râpé et saupoudré sur des pâtes.

Terroir : Camargue.
Diamètre : 25 cm à 30 cm.
Épaisseur : 10 cm.
Poids : 900 g
Production : fermière.
Lait : cru.

Vin blanc sec ou vin rouge.

BREBIS Pâte pressée

Tomme de brebis d'Arles

FROMAGE FERMIER

La tomme de brebis d'Arles, à la saveur douce et crémeuse, dégage un agréable parfum aromatique d'herbes de Provence. Ce fromage est particulièrement excellent en tranches, arrosé d'un filet d'huile d'olive.

Terroir : Camargue.
6 cm de long.
3 cm de large.
Épaisseur : 1,5 cm.
Poids : 90 g
Production : fermière.
Lait : cru.

Vin blanc sec ou vin rouge.

BREBIS Pâte pressée

Tomme de brebis corse

FROMAGE FERMIER OU ARTISANAL

Ces tommes, assez épaisses, peuvent être mangées telles quelles ou râpées. Sous la croûte lisse et jaunâtre se dissimule une pâte, au goût noisetté lorsqu'elle est jeune, et piquante lorsqu'elle est bien affinée. Ces pâtes, légèrement pressées, sont affinées entre trois et six mois, à sec, en cave sèche.
Elles se dégustent en plateau, et développent toute leur saveur du printemps à l'hiver.

Terroir : Corse.
Diamètre : 20 cm.
Épaisseur : 15 cm.
Poids : 2,5 kg.
Production : fermière ou artisanale.
Lait : cru.

Vin rouge charpenté du Cap Corse.

Sous la croûte, lisse et jaunâtre, se dissimule une pâte au goût noisetté ou piquant, selon l'affinage.

BREBIS Pâte pressée non cuite

Tomme de brebis de Haute-Provence

FROMAGE FERMIER

Cette pâte pressée, non cuite, à la croûte lavée, est affinée deux mois en cave humide. Sous sa croûte ocre et rustique se cache une pâte souple, aux saveurs noisettées.
Elle se déguste du printemps à l'automne.

Terroir : Haute-Provence.
Diamètre : 18 cm.
Épaisseur : 4 cm à 5 cm.
Poids : 1,2 kg.
Production : fermière.
Lait : cru.

Vin blanc sec des coteaux d'Aix ou vin rouge charpenté.

Terroir : Haute-Provence.
Diamètre : 21 cm.
Épaisseur : 5 cm à 7 cm.
Poids : 1,5 kg.
Production : fermière.
Lait : cru.

Vin blanc sec des coteaux du Ventoux.

Tomme des quatre reines de Forcalquier

FROMAGE FERMIER

Homme puissant au XIIIe siècle, le comte de Forcalquier maria ses quatre filles aux plus grands souverains de l'époque. L'aînée épousa saint Louis et les cadettes devinrent impératrice d'Allemagne, reine d'Angleterre et reine de Naples et de Sicile. En souvenir de ce glorieux passé, la sous-préfecture des Alpes-de-Haute-Provence a dédié cette tomme à ces quatre souveraines. Ce chèvre fermier possède une pâte molle, une croûte naturelle, et une saveur noisettée qui ressemble à un bouquet de garrigue provençale ! Affinée à sec, en cave ventilée, trois semaines au moins, la tomme des quatre reines de Forcalquier est habillée de quatre feuilles de châtaignier.
Elle se déguste du printemps à l'automne.

La croûte naturelle de ce chèvre fermier abrite une pâte molle, à la saveur noisettée.

CHÈVRE Pâte molle

Terroir : Haute-Provence (plateau de Valensole).
Boule.
Poids : 100 g.
Production : fermière.
Lait : chèvre.

Vin blanc sec des coteaux du Ventoux.

Truffes de Valensole

FROMAGE FERMIER

Ce chèvre à pâte molle, qui est moulé dans le creux de la main, est entouré de sangles végétales. Affinée de l'intérieur vers l'extérieur durant une quinzaine de jours, la truffe de Valensole révèle de douces saveurs. Ce fromage de plateau se déguste du printemps à l'automne.

CHÈVRE OU BREBIS Pâte molle

Venaco

FROMAGE FERMIER

Le venaco, fromage corse typique, tire son nom d'une localité du centre de l'île. Cette pâte molle, de forme carrée aux bords arrondis, possède une croûte naturelle grattée. Affinée trois à quatre mois, elle est ferme et grasse.
Elle dégage une odeur forte de fermentation, en même temps qu'une saveur animale piquante.
Le venaco est un fromage de plateau, qui se savoure du printemps à l'automne.

Terroir : Corse.
Diamètre : 12 cm à 14 cm.
Épaisseur : 6 cm.
Poids : 500 g à 700 g.
Production : fermière.
Lait : cru.

Vin rouge charpenté du Cap Corse, Cahors.

Les ingrédients pour la pâte à ravioles :
300 g de farine de sarrasin.
1 jaune d'œuf.
1 œuf.
1 cuillère à soupe d'huile d'olive.
Du sel.

Les ingrédients pour la garniture :
400 g de fromage de chèvre crémeux.
2 échalotes.
150 g d'olives vertes.
1 dl d'huile d'olive.
200 g de tomates concassées .
1 dl de vinaigre de xérès.
1 gousse d'ail.
Du thym.

Ravioles aux olives vertes

Faites de la pâte à ravioles en mélangeant tous les éléments de la recette et laissez reposer une heure. Assaisonnez le fromage avec une échalote ciselée, la gousse d'ail écrasée, du thym, du sel, du poivre et de l'huile d'olive. Formez les ravioles en étendant la pâte sur environ 2 mm d'épaisseur. Détaillez celle-ci à l'aide d'un emporte-pièce rond (de 5 cm à 6 cm de diamètre), mettez une cuillère à café de fromage et repliez la pâte en deux sur elle-même, en pressant les extrémités, de façon à retrouver la même épaisseur qu'au départ. Quand les ravioles sont prêtes, faites-les cuire dans de l'eau salée. Avant de servir, ajoutez les olives dénoyautées, le thym restant et une échalote ciselée.

Tarte au brocciu

Faites cuire auparavant, et pendant 10 minutes, le fond de tarte pour éviter que la pâte ne se trempe avec la garniture. Pendant ce temps, écrasez la brousse à la fourchette, puis brassez-la dans le grand bol d'un mixeur, en ajoutant les œufs, le sucre et le zeste d'orange. La préparation doit être lisse mais épaisse. Ajustez le sucre en fonction du goût.
Garnissez la pâte et enfournez le plat dans le four resté chaud. La garniture va gonfler. Lorsqu'elle est bien dorée, avant la fin de la cuisson, badigeonnez le tout à l'aide d'un pinceau trempé dans un œuf battu allongé d'eau. Remettez au four, et laissez cuire 30 minutes.

Les ingrédients du fond de tarte :
300 g de farine.
1 œuf entier.
2 cuillères à soupe de sucre.
1 pincée de sel.

Les ingrédients de la garniture :
500 g de brousse.
150 g de sucre en poudre.
1 zeste d'orange.
4 œufs entiers.

Terrine de chèvre *aux poireaux*

Épluchez, lavez et faites cuire les poireaux dans une eau salée. Aussitôt cuits, faites-les refroidir dans de la glace pour conserver leur couleur.
Étalez successivement les couches de fromage et de poireaux en assaisonnant de sel, de poivre et d'huile d'olive.
Laissez une nuit au frais, avant de servir avec une vinaigrette ou quelques feuilles de salade.

Les ingrédients :
600 g de chèvre frais.
10 poireaux.
De l'huile d'olive.
Du sel.
Du poivre.

NE. PLIEZ
ROULEZ. LE
MERCI

Rhône-Alpes

avec Denis Provent, fromager à Chambéry

Depuis la Haute-Savoie jusqu'aux collines aux parfums provençaux de la Drôme, en passant par les monts du Lyonnais, la région Rhône-Alpes présente une belle diversité fromagère. Fromager affineur à Chambéry, Denis Provent sait dénicher les producteurs qui perpétuent la fabrication traditionnelle des fromages de montagne. Abondance, reblochon, tome des Bauges... s'affinent dans sa "Laiterie des halles".

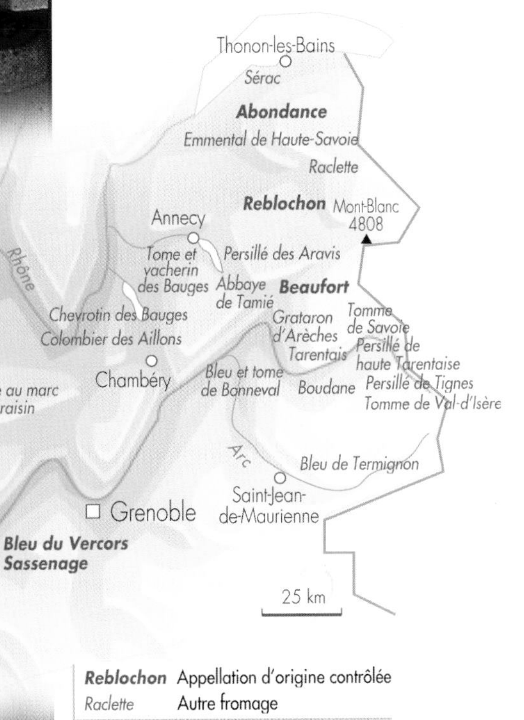

Deux parcours gustatifs

Du saint-marcellin au tarentais

Bien affiné, le **tarentais** 6 possède un goût piquant.

La saveur âpre et salée du **persillé de Tignes** 5 laisse en bouche une impression des plus agréables.

La pâte épaisse de la **tomme de chèvre** 4 laisse un goût franc.

1 Les chiffres indiquent l'ordre de dégustation conseillé.

Sous sa croûte orangée, la pâte du **chevrotin des Aravis** 3 développe un agréable goût de chèvre.

Le saint-félicien 2 est onctueux et crémeux.

Le saint-marcellin 1 possède un bon goût de lait crémeux.

Reblochon, tome des Bauges et beaufort

Lorsqu'elle fond en bouche, la **tome des Bauges** 2 fleure bon la noisette sauvage.

Le **beaufort** 3 développe un goût de beurre au parfum des alpages.

Au lait de vache cru et entier, le **reblochon de Savoie** 1 laisse en bouche un goût crémeux.

> « Les fromages de Savoie, avec leur goût de noisette, possèdent une saveur douce et crémeuse »

Bonnes adresses

Crémerie Jacques Dubouloz, 15, rue Aimé-Levet, 74000 Annecy.
Crémerie Michel Raymond, 3, rue du Lac, 74000 Annecy.
Denis Provent, Laiterie des halles, 2, place de Genève, 73000 Chambéry.
Maréchal Fromages, Halles de Lyon, 69000 Lyon.

VACHE Pâte pressée

Abondance

FROMAGE FERMIER OU LAITIER - AOC

Sous une croûte ambrée, une pâte souple et onctueuse.

Ce sont les moines de l'abbaye Abondance, située dans une vallée du Chablais (Haute-Savoie), entre le Léman et le Valais, qui ont sélectionné la race bovine abondance, dont ce fromage est originellement issu. En 1382, l'abbaye était le fournisseur officiel du pape Clément VII, alors installé en Avignon. Fabriqué au lait cru et entier, ce fromage provient aujourd'hui du lait des vaches de race abondance, tarine ou montbéliarde. Quelquefois après chaque traite (matin et soir), mais le plus souvent une fois par jour, le lait est emprésuré au plus tard dans les vingt-quatre heures. Une fois caillé, décaillé, brassé et chauffé, il permet d'obtenir une pâte souple et onctueuse, parsemée de petits trous. Elle est ensuite moulée et pressée dans une toile, entourée d'un cercle de bois qui donne à l'abondance sa forme concave.

Affiné durant au moins quatre-vingt-dix jours, l'abondance développe une croûte de couleur ambrée. Sa pâte est jaune ivoire, au goût un peu acidulé et noisetté. Ce fromage de plateau, qui entre dans la composition de nombreuses recettes, dégage une odeur agréable. Une plaque de caséine bleue apparaît sur le talon de chaque meule : celles-ci sont ovales pour les fromages fermiers et carrées pour les laitiers.

Terroir : Abondance.
Diamètre : 38 cm à 43 cm.
Épaisseur : 7 cm à 8 cm.
Poids : 7 kg à 12 kg.
Production : fermière et laitière.
Lait : cru et entier.

Saint-Chinian.

VACHE Pâte pressée

Abbaye de Tamié

FROMAGE MONASTIQUE

Ce fromage, au lait de vache entier et cru, est fabriqué par les moines trappistes de l'abbaye de Tamie, qui fut fondée en 1131 dans le massif des Bauges (Savoie). Enveloppé dans un papier bleu, frappé d'une croix de Malte blanche, le tamie est une pâte pressée, non cuite, qui ressemble beaucoup au reblochon. La fabrication de ces deux pâtes est d'ailleurs très proche. Pendant l'affinage, qui dure un mois au minimum, le fromage est lavé en saumure deux fois par semaine. Le tamie est moelleux et recouvert d'une jolie croûte rosée. Son goût de lait crémeux est un peu plus prononcé que celui du reblochon. Il se déguste toute l'année, en fin de repas.

Terroir : massif des Bauges.
Diamètre : 18 cm à 20 cm.
Épaisseur : 4 cm à 5 cm.
Poids : 1,3 kg.
Production : monastique.
Lait : cru et entier.

Crépy ou Roussette.

MOINES ET FROMAGERS

Frugal et énergétique à la fois, le fromage était, au Moyen Âge, l'aliment des humbles par excellence. Il correspondait également à l'idéal de vie simple que prônait saint Benoît. Sa consommation se généralisa dans toutes les communautés bénédictines, qui devinrent d'importants centres de production. Ultimes refuges au cours des invasions, en l'an mille, ces congrégations furent les gardiennes de la tradition fromagère. Avec l'apparition de nouveaux ordres monastiques (les Cisterciens et les Chartreux au XIe siècle, les Dominicains au XIIe, les Franciscains au XIIIe siècle...) et le développement des pèlerinages, les monastères durent procurer aux fidèles une nourriture leur permettant de supporter les longs trajets. Ainsi naquirent des fromages réputés, et bientôt imités.

VACHE Pâte pressée

Beaufort

FROMAGE FERMIER OU LAITIER - AOC

Bien que son nom n'apparaisse écrit pour la première fois qu'en 1865, le beaufort est d'origine très ancienne. Produit typiquement savoyard, il a même été surnommé le "prince des gruyères", par l'écrivain et gastronome Brillat-Savarin. Il doit la richesse de son arôme à la variété de la flore des alpages, où paissent les troupeaux de tarines et d'abondances, de juin à septembre. Le beaufort peut être fabriqué en coopératives, dans les vallées, ou en chalets d'alpage. Le beaufort d'alpage est d'abord parsemé de petites taches bleues, dues au pistil des gentianes. Ces taches disparaissent au contact de l'air.
Ce fromage de vache, à pâte cuite et pressée, est fabriqué avec du lait encore chaud additionné de présure. Il est ensuite brassé et enveloppé d'une toile, puis moulé dans des cercles de bois de hêtre, où il est pressé et salé. Son affinage, réglementé par l'AOC dont il bénéficie, doit durer cinq mois au minimum, en cave humide. Cependant, il mettra entre huit mois et un an pour atteindre sa maturité et développer tout son goût. Sa croûte lisse, d'abord jaune, devient ocre brun et sa pâte, blanc crème, vire au jaune. Celle-ci, presque dépourvue de trous, est aussi souple que grasse. Le beaufort fond dans la bouche. Son goût de beurre développe aussi des effluves de noisette. Fromage de plateau, il se consomme toute l'année, en fines lamelles ou en petits cubes. Il entre aussi dans la composition de nombreuses recettes, dont la fameuse fondue savoyarde, ainsi que dans celle de tartes et de gratins.

Terroir : Beaufortin, Tarentaise et Maurienne.
Diamètre : 35 cm à 75 cm.
Épaisseur : 11 cm à 16 cm.
Poids : 20 kg à 70 kg.
Production : fermière et laitière.
Lait : cru et entier.

Apremont, Chignin.

CHÈVRE Pâte tendre

Beaujolais pur chèvre

FROMAGE LAITIER

Ce fromage à pâte tendre, non pressée et non cuite, se pare, au cours d'un affinage de quatre à cinq semaines, d'une belle croûte marron clair, parsemée de moisissures gris bleu. Fromage de plateau, il se déguste d'avril à octobre. Son goût est légèrement acidulé.

Terroir : Beaujolais.
Diamètre : 3 cm.
Épaisseur : 2 cm.
Poids : 80 g.
Production : laitière.
Lait : de chèvre.

Beaujolais.

CHÈVRE Préégoutté

Besace de pur chèvre

FROMAGE FERMIER

Ce fromage fermier est préégoutté, formé à la main et moulé au torchon. Sa pâte est tendre, non cuite. Au cours de son affinage, qui s'étend sur trois à quatre semaines, il développe une croûte naturelle très légèrement grisée. Fromage de plateau, il se déguste d'avril à octobre et dégage une saveur noisettée et un peu piquante.

Terroir : pays de Savoie.
Diamètre : 7 cm.
Épaisseur : 5 cm.
Poids : 250 g.
Production : fermière.
Lait : de chèvre.

Vin rouge de Savoie.

VACHE Pâte persillée

Bleu de Bonneval

FROMAGE ARTISANAL

Le bleu de Bonneval est un fromage artisanal au lait cru, et au parfum d'alpage très prononcé. En bouche, il a une certaine rondeur, relevée par ses moisissures qui lui donnent tout son caractère.
Fromage de plateau, il se déguste à la fin du mois d'août.
Sa production est limitée.

Terroir : vallée de Bonneval, haute Maurienne.
Diamètre : 20 cm.
Épaisseur : 12 cm.
Poids : 2,8 kg.
Production : artisanale.
Lait : cru.

Vins de Savoie.

VACHE Pâte persillée

Bleu de Termignon

FROMAGE FERMIER

Ce fromage d'alpage n'est fabriqué que par cinq producteurs et en petite quantité. Le bleu de Termignon, du nom de son village d'origine, est issu du lait de vache. Il s'agit d'un caillé recuit, dont la pâte est piquée afin qu'elle bleuisse. C'est le seul bleu qui n'est pas ensemencé au pénicillium. Affiné quatre à cinq mois, pendant lesquels il est retourné et essuyé, il se pare d'une croûte blanche, teintée de marron, très dure. Sa pâte est blanche en son centre, parfois légèrement bleutée, et bleue sur les bords. Il dégage un subtil parfum de montagne. Un peu gras, il possède toute la saveur de l'alpage.
Fromage de plateau, le bleu de Termignon se consomme de la Toussaint à Pâques.
Très prisé, en particulier des Piémontais, il est souvent vendu avant même d'avoir été fabriqué.

Terroir : haute Maurienne.
Diamètre : 28 cm.
Épaisseur : 10 cm.
Poids : 7 kg.
Production : fermière.
Lait : cru.

Saint-Émilion, Tokay, Château-Margaux.

Après quatre à cinq mois d'affinage, sa pâte blanche bleuit légèrement.

VACHE Pâte molle

Bleu du Vercors Sassenage

FROMAGE LAITIER - AOC

Terroir : massif du Vercors.
Diamètre : 30 cm.
Épaisseur : 8 cm à 9 cm.
Poids : 5 kg à 6 kg.
Production : laitière.
Lait : pasteurisé.

Barsac.

Les producteurs du sassenage ont obtenu, à l'été 1998, leur appellation d'origine contrôlée (AOC). À l'origine, ce fromage était produit par des moines installés sur les terres du baron Albert de Sassenage. En 1338, celui-ci autorisa la production et la vente en toute liberté de ce fromage au lait de vache, dans les fermes situées sur son domaine. Cette pâte molle, persillée, offre une croûte naturelle qui se développe au cours d'un affinage de deux à trois mois. De couleur blanche, cette dernière est teintée de rouge, alors que la pâte est veinée de bleu. En dépit d'un léger parfum de moisissure, ce bleu doux, onctueux, au goût subtil, est agréable, parfumé, et rond en bouche.
Fromage de plateau, il s'apprécie de l'été à l'automne.
Il est également parfait en raclette ou pour corser une sauce, car la cuisson exhale tout particulièrement son odeur agréable.

Les veines bleues de la pâte sont le signe d'un bon affinage.

CHÈVRE Pâte pressée

Chevrotin des Aravis

FROMAGE FERMIER

Le chevrotin des Aravis (Haute-Savoie) ressemble à un petit reblochon au lait de chèvre. Depuis fin 1995, une demande d'AOC est en cours pour ce fromage fermier fabriqué traditionnellement en alpage. Il est identifié par une plaque de caséine blanche, depuis 1994. Le procédé de fabrication n'est pas sans rappeler celui du reblochon : pendant l'affinage, qui dure de trois à six semaines, les chevrotins sont brossés et lavés. Leur croûte orangée se tache alors de moisissure blanche. La pâte, fine et très moelleuse, développe un agréable goût caprin. Fromage de plateau, il entre aussi dans la composition de la tartichèvre, qui est au chevrotin ce que la tartiflette est au reblochon.

Terroir : massif des Aravis (Haute-Savoie).
Diamètre : 8 cm à 10 cm
Épaisseur : 3 cm à 4 cm.
Poids : 250 g à 350 g.
Production : fermière.
Lait : cru

Vins de Savoie.

CHÈVRE Pâte pressée

Chevrotin des Bauges

FROMAGE FERMIER

Ce chèvre est fabriqué de la même manière que la tome des Bauges (Savoie). Issu du lait de deux traites, il possède une pâte moelleuse qui fond dans la bouche et laisse un goût prononcé de noisette. Son affinage s'étend sur plusieurs semaines, mais il peut s'apprécier plus ou moins affiné. Fromage de plateau, il se déguste du printemps à l'automne.

Terroir : massif des Bauges.
Diamètre : 10 cm.
Épaisseur : 4 cm.
Poids : 650 g.
Production : fermière.
Lait : cru.

Gamay, Mondeuse.

FROMAGES D'ALPAGES

Originaire du Dauphiné, le terme d'alpages désigne des pâturages de haute montagne. Avec la fonte des neiges, les troupeaux entament leur migration estivale, dans les Alpes comme dans les Pyrénées. Entre la fin mai et le début octobre, les animaux gardés par des "alpagistes" broutent alors l'herbe et les fleurs d'altitude, qui donnent un lait riche crémeux et très parfumé et tout leur goût aux fromages d'alpages. Les bêtes sont traites deux fois par jour, le lait étant le plus souvent transporté en vallée. Parfois, comme dans le Beaufortain, le fromage est fabriqué dans les chalets d'alpage disposés tout au long de la "remue" (montée à l'alpage au rythme de la poussée de l'herbe). Avec les premières chutes de neige sonne l'heure du retour en vallée, appelé "désalpe" dans les Alpes, ou transhumance dans les Pyrénées.

CHÈVRE, VACHE OU LES DEUX Pâte pressée

Colombier des Aillons

FROMAGE FERMIER

Ce fromage à pâte molle, non pressée et non cuite, est fabriqué dans le massif des Bauges (Savoie). Sa croûte, lavée et sèche, est jaune claire. Elle se couvre parfois de très légères moisissures. Il est affiné pendant un mois au minimum. Fromage de plateau, il se déguste du printemps à l'automne, et son goût, riche en saveurs d'alpages, s'affine peu à peu, tout au long de la maturation.

Terroir : massif des Bauges.
Diamètre : 7 cm.
Épaisseur : 2 cm à 2,5 cm.
Poids : 1,2 kg.
Production : fermière, artisanale et laitière.
Lait : cru ou pasteurisé.

Côtes-du-Ventoux, Beaujolais, Gigondas.

VACHE Pâte pressée

Emmental de Haute-Savoie

FROMAGE LAITIER

L'emmental de Haute-Savoie ou de Savoie est issu du lait de vache. Sa pâte, pressée et cuite, est couverte d'une croûte naturelle, lavée et brossée. Ferme et très parfumée, cette pâte est de couleur ivoire à jaune pâle. Elle doit présenter de jolis trous ovales et réguliers – les "yeux" –, à raison de trois trous tous les quinze centimètres. Ces "yeux" proviennent de la transformation de l'oxygène, contenu dans la pâte, en gaz carbonique grâce à des bactéries naturelles. L'affinage dure quatre mois au minimum. L'emmental bénéficie du label régional "Savoie", qui se reconnaît à son marquage rouge au talon. Ce fromage doux se consomme toute l'année, de préférence en fin de repas et dans de nombreux plats (gratin, fondue, quiche...). Très nourrissant, il convient parfaitement aux enfants et aux malades.

Un bon emmental doit être percé de trois yeux, sur quinze centimètres de pâte.

Terroir : Haute-Savoie, Savoie.
Diamètre : 70 cm à 100 cm.
Épaisseur : 13 cm à 25 cm.
Poids : 60 kg à 130 kg.
Production : laitière.
Lait : cru.

Vin blanc de Savoie.

CHÈVRE Pâte molle

Grataron d'Arèches

FROMAGE FERMIER

Le grataron est fabriqué comme une tomme et affiné comme le chevrotin des Aravis. L'association de ces deux techniques lui donne un goût unique. Le grataron d'Arèches (Beaufortin, Savoie) est un fromage issu du lait de chèvre, à pâte molle, non cuite et légèrement pressée. Sa croûte est lavée et son affinage dure entre trois et six semaines. Sa pâte, de couleur ivoire, est moelleuse. Il est très fin, quoiqu'un peu salé et légèrement collant. Ce fromage de plateau se consomme du printemps jusqu'à Noël.

Terroir : Beaufortin.
Diamètre : 9 cm à 11 cm.
Épaisseur : 3 cm à 4 cm.
Poids : 300 g à 400 g.
Production : fermière.
Lait : cru.

Crépy.

Une croûte dorée, une pâte ivoire et très moelleuse.

VACHE Pâte pressée

Persillé des Aravis

FROMAGE FERMIER

Le persillé des Aravis est un fromage de chèvre en voie de disparition, qui n'est plus fabriqué que par un ou deux producteurs. Au lait cru et entier, ce fromage cylindrique peut se déguster dès la fin du mois d'août. Sa croûte, dure et épaisse, est de couleur gris foncé, parsemée de moisissures blanches et parfois orangées ou bleues. Non pressée, la pâte de ce caillé recuit est friable et un peu piquante. Il est affiné pendant environ six semaines. Fromage de plateau, le persillé des Aravis s'apprécie également le plus affiné possible.

Terroir : vallée des Aravis (Haute-Savoie).
Diamètre : 8 cm à 10 cm.
Épaisseur : 10 cm à 12 cm.
Poids : 700 g à 1 kg.
Production : fermière.
Lait : cru et entier.

Bourgogne.

CHÈVRE Pâte persillée

- **Terroir :** haute Tarentaise.
- **Diamètre :** 8 cm.
- **Épaisseur :** 7 cm à 8 cm.
- **Poids :** 500 g à 1 kg.
- **Production :** fermière.
- **Lait :** cru.

Vins blancs de Savoie.

Persillé de la haute Tarentaise

FROMAGE FERMIER

De forme cylindrique, ce fromage à pâte tendre, non pressée et non cuite, est fabriqué à partir de lait de chèvre. Affiné pendant deux à trois mois, il développe une croûte naturelle ocre foncé, parsemée de moisissures. Sa pâte bleuit au bout de quatre à cinq mois. Après un caillage lent (environ 48 heures), le lait est ensuite remalaxé avec du petit lait chaud du jour. La pâte du persillé, au goût caprin prononcé, est friable et légèrement marbrée.

Suivant l'affinage, sa croûte varie du gris à l'ocre brun.

CHÈVRE Pâte persillée

Persillé de Tignes

FROMAGE FERMIER

Le persillé de Tignes est l'œuvre d'un petit nombre de producteurs. Ce fromage de chèvre à pâte tendre, non pressée et non cuite, est un caillé recuit dont la pâte est friable. Si on le piquait, il deviendrait bleu comme le roquefort. Après un affinage d'un à six mois, il se couvre de moisissures blanches et bleues. Sa pâte, blanche au centre, est jaune en bordure de la croûte. Son goût âpre et salé reste en bouche. Le persillé de Tignes se consomme du printemps à la fin de l'hiver. Il peut également être brisé, dans une salade.

- **Terroir :** Savoie.
- **Diamètre :** 9,5 cm à 11,5 cm.
- **Épaisseur :** 9 cm à 10 cm.
- **Poids :** 680 g à 980 g.
- **Production :** fermière.
- **Lait :** cru.

Vin blanc de Savoie.

CHÈVRE Pâte molle

- **Terroir :** Ardèche et Drôme
- **Diamètre :** 5 cm à 8 cm
- **Épaisseur :** 1 cm à 3 cm
- **Poids :** 50 g à 100 g
- **Production :** fermière, artisanale ou laitière
- **Lait :** entier

Côtes-du-Rhône

Picodon de l'Ardèche ou de la Drôme

FROMAGE FERMIER ARTISANAL OU LAITIER - AOC

Le picodon relève d'une longue tradition d'élevage de chèvres dans les montagnes de l'Ardèche et de la Drôme. Il tirerait son nom de la langue d'Oc, où "picodon" signifierait piquant. À l'origine, ce fromage était destiné à être consommé en hiver, durant lequel le lait de chèvre se tarit. Ces petits disques plats, aux bords arrondis, sont fabriqués avec du lait additionné d'une petite quantité de présure. Le caillé est versé avec une louche dans des moules percés de trous. Égoutté et salé au sel sec, il est séché sur des grilles et affiné pendant au moins douze jours. La croûte du picodon a une belle fleur, bleue ou blanche, et sa pâte est ferme, fine et homogène. Il dégage une légère odeur caprine, qui pique un peu sur la langue et offre une agréable saveur noisettée. Il se consomme jeune ou très sec, en fin de repas, après l'été jusqu'à l'automne. Chaud ou froid, il se marie bien avec la salade. Le picodon peut aussi macérer dans du vin blanc ou dans de l'huile d'olive.

Formant des disques plats aux bords arrondis, les picodons présentent sur leur croûte des fleurs bleues, blanches ou jaunes.

VACHE Pâte pressée

Raclette

FROMAGE ARTISANAL OU LAITIER

Ce fromage est communément appelé "fromage à raclette" en raison de la façon dont il se consomme : en fines tranches, accompagné de charcuterie et de pommes de terre cuites à l'eau. Ronde ou carrée, la raclette est un fromage au lait de vache, à pâte pressée et non cuite, affinée durant deux mois au minimum. Sa croûte est jaune d'or et sa pâte varie du blanc au jaune clair. Relativement dure, elle fond dès qu'elle est chaude et laisse en bouche un agréable goût de lait. Elle se consomme toute l'année.

Terroir : pays de Savoie.
Diamètre : 28 cm à 36 cm.
Épaisseur : 5 cm à 7 cm.
Poids : 4 kg à 7 kg.
Production : artisanale ou laitière.
Lait : cru ou pasteurisé.

Vins de Savoie.

CHER TERROIR

Sans réalité politique ou administrative, un terroir est une entité géographique cohérente, délimitée à partir de caractéristiques naturelles (le climat, l'exposition, le sol...) et humaines (les traditions propres au pays) qui influent sur la qualité et la typicité des produits agricoles.
On connaît ainsi la truffe du Tricastin, les crus des Côtes-du-Rhône et le reblochon des Aravis.
Mais l'existence d'un terroir ne suffit pas pour qu'un produit obtienne une appellation d'origine contrôlée (AOC). Celle-ci doit également répondre à des conditions précises de fabrication.
Contrairement à une croyance bien établie, le terroir n'influe pas sur la production laitière. Ainsi, une vache de race abondance produit-elle 5 500 litres de lait, aussi bien sur les gras alpages de Haute-Savoie que sur le plateau aride des Causses...

VACHE Pâte pressée

Reblochon de Savoie

FROMAGE FERMIER OU LAITIER - AOC

Né en Haute-Savoie, dans le pays de Thônes, dans le massif des Aravis, le reblochon apparut dès le XIVe siècle. À l'époque, le fermier qui louait un alpage devait, à son propriétaire, une rétribution proportionnelle à la quantité de lait produite. Aussi, le jour où ce dernier venait chercher son loyer, appelé le "fruit", le fermier pratiquait une traite incomplète, qu'il poursuivait après le départ de son visiteur. Le reblochon était alors fabriqué avec le lait de cette seconde traite.
Il tire aussi son nom de cette pratique, appelée la "rebloche" ou la "maraude".
Ce fromage, à pâte pressée, est issu du lait cru et entier des vaches de race abondance, tarine et montbéliarde, qui ne doivent pas avoir été nourries avec des fourrages ensilés. Leur lait est emprésuré matin et soir, puis le caillé est mis en moule et légèrement pressé. Affiné en cave pendant deux semaines, il ne subit aucune fermentation. Sa croûte est souvent lavée. Le reblochon fermier se reconnaît à sa plaque de caséine verte apposée lors du moulage, et le laitier, à sa plaque de caséine rouge. La croûte du reblochon est jaune safran, recouverte d'une fine "mousse" blanche. Sa pâte est jaune ivoire et laisse en bouche un goût franc et frais de bon lait crémeux.
Fromage de plateau, il se consomme toute l'année et entre dans la composition de plats régionaux comme la tartiflette.

Terroir : chaîne des Aravis.
Diamètre : 14 cm.
Épaisseur : 3,5 cm.
Poids : 450 g à 500 g.
Production : fermière et laitière.
Lait : cru et entier.

Crépy, Roussette, Gamay de Chautagne.

VACHE Pâte molle

Les rigottes

FROMAGE ARTISANAL

Depuis l'époque romaine, certains fromages du Lyonnais, du Dauphiné ou de la Loire portent le nom de rigottes. Les rigottes diffèrent de forme et de taille – toujours petites –, selon les producteurs. Affinées deux à trois semaines, ces pâtes molles, non pressées et non cuites, sont toujours issues de lait de vache et développent des goûts différents selon leur terroir. Ainsi, les rigottes du Lyonnais sont-elles très sèches et légèrement acidulées, alors que celles du Dauphiné sont plus moelleuses et beaucoup plus fondantes en bouche. Elles se consomment toute l'année, à la fin du repas ou en apéritif.

Terroir : Dauphiné, Lyonnais, Loire.
Diamètre : de 4 cm à 5 cm.
Épaisseur : 3 cm à 5 cm.
Poids : 50 g à 85 g.
Production : artisanale.
Lait : cru ou pasteurisé.

Bordeaux, Beaujolais ou Bourgogne.

Fermes au toucher, les rigottes se dégustent tendres à l'intérieur.

CHÈVRE Pâte molle

Saint-Félicien

FROMAGE FERMIER ARTISANAL OU LAITIER

Le saint-félicien serait né des recherches d'un fromager installé sur les pentes de la Croix-Rousse, à Lyon. Fermier, artisanal ou laitier, il est très proche du saint-marcellin par sa fabrication et son goût. Cette pâte molle, à croûte naturelle fleurie, est cependant plus grosse et plus onctueuse. Préparé à partir de lait de vache, le saint-félicien contient environ 60 % de matière grasse et arbore une croûte molle. Très crémeux, il peut se manger à la petite cuillère et laisse en bouche une saveur prononcée. C'est également un fromage de plateau.

Terroir : Vivarais.
Diamètre : 8 cm à 10 cm.
Épaisseur : 1 cm à 1,5 cm.
Poids : 90 g à 120 g.
Production : fermière, artisanale et laitière.
Lait : cru ou pasteurisé.

Côtes-du-Ventoux, Beaujolais, Gigondas.

VACHE OU CHÈVRE Pâte tendre

Terroir : bas Grésivaudan.
Diamètre : 20 cm.
Épaisseur : 3 cm.
Poids : 80 g.
Production : fermière.
Lait : de vache, de chèvre ou mélangé.

Vins de Savoie.

Saint-Marcellin

FROMAGE FERMIER ARTISANAL

Fromage de chèvre, à l'origine, le saint-marcellin se fabrique aujourd'hui aussi bien avec du lait de vache qu'avec un mélange des deux laits. Ce petit fromage du bas Grésivaudan (Isère) pèse au minimum 80 grammes et affiche 40 % de matière grasse. Issu de lait cru ou pasteurisé, il se présente sous la forme d'une pâte tendre, non pressée, non cuite et couverte d'une croûte naturelle. Affiné durant deux à six semaines, il devient moelleux. Sa croûte jaunâtre se couvre alors de quelques points bleus. Pour être parfait, il doit être un peu coulant. Il a un bon goût de lait crémeux plus ou moins noisetté. Les ventes de saint-marcellin, dont quelque soixante-deux millions d'unités sont consommées chaque année, ne cessent d'augmenter.

Il se déguste toute l'année, en fin de repas ou en "vache en chaleur" – une salade avec du saint-marcellin chaud et des croûtons.

Une croûte jaunâtre, couverte de quelques fleurs bleues.

VACHE OU CHÈVRE Fromage frais

Sérac

FROMAGE FERMIER OU LAITIER

Ce fromage fermier de Savoie est obtenu par chauffage, coagulation et égouttage du petit lait. Fabriqué avec le lait qui n'est pas utilisé pour les tommes, il se consomme frais, en tartines, assaisonné avec du poivre et des herbes ou de l'huile d'olive.

Terroir : Savoie.
Taille : variable en fonction du récipient.
Production : fermière.
Lait : petit lait cru.

Tursan.

La pâte fraîche et molle de ce fromage savoyard permet de l'apprécier accompagné de poivre ou d'huile d'olive.

CHÈVRE Pâte molle

Le tarentais

FROMAGE FERMIER

Ce fromage vient du Planay Villaroger, à Sainte-Foy-Tarentaise, en haute Tarentaise (Savoie), près de la frontière italienne. Ce pégoutté de chèvre est fabriqué selon une très ancienne méthode : égoutté pendant quarante-huit heures, avant affinage, il est remalaxé, le troisième jour, avec du petit lait chaud, trait le jour même. Crémeux, lorsqu'il est frais, le tarentais prend un goût piquant au fil de son affinage. Il se déguste en plateau, à la fin de l'automne.

Terroir : Tarentaise.
Diamètre : 6 cm à 7 cm.
Épaisseur : 7 cm.
Poids : 300 g.
Production : fermière.
Lait : cru.

Gamay.

VACHE Pâte pressée

Tome des Bauges

FROMAGE FERMIER OU LAITIER

En vieux savoyard, le mot tome ne prend qu'un "m", alors qu'en français, il en prend deux. L'orthographe avec un seul "m" est donc un moyen de reconnaissance, pour une appellation d'origine contrôlée que les fabricants de la tome des Bauges ont demandée. Cette pâte pressée, non cuite et à croûte fleurie, peut être le résultat d'une fabrication fermière – en alpage –, ou fruitière – en coopérative. Le lait, collecté après chaque traite (matin et soir) ou en une seule fois, est écrémé à la "poche". Il est alors chauffé entre 32° et 35 °C, puis emprésuré. Découpée manuellement, cette masse de fromage blanc est ensuite brassée et chauffée. La température varie selon le mode de fabrication, fruitier ou fermier. Dans le premier cas, la température est comprise entre 33° et 34 °C. Dans le second, entre 33° et 37 °C. Afin d'être pressées d'égale façon, les tomes sont empilées trois par trois et régulièrement changées de place. Vingt heures après leur fabrication, elles sont salées et mises en cave. Affinées durant quarante jours à trois mois, les tomes des Bauges sont tournées et frottées à la main tous les jours, puis tous les deux jours. Cette manipulation permet de rabattre les "poils de chat" qui se développent en surface, et donc de favoriser la formation de la croûte. Celle-ci, qui doit sa couleur grise au "mucor", s'émaille de reflets jaunes et rouges. Sa pâte, de couleur jaune pâle, est souple et moelleuse, avec un petit cœur blanc. Lorsqu'elle fond dans la bouche, elle laisse un goût prononcé de noisette. Fromage de plateau, la tome des Bauges se consomme toute l'année, mais est plus savoureuse lorsqu'elle est produite durant l'été.

Terroir : massif des Bauges.
Diamètre : 17 cm.
Épaisseur : 5 cm.
Poids : 1 kg à 1,2 kg.
Production : fermière et laitière.
Lait : cru.

Apremont, Chignin.

Les "poils de chat" qui, lors de l'affinage, se développent sur la surface de la tome des Bauges, donnent naissance à une croûte de couleur grise, émaillée de reflets jaunes et rouges.

VACHE Pâte pressée

Tomme
de Bonneval

FROMAGE LAITIER

Cette tomme, issue d'une vallée de haute Maurienne (Savoie), est une pâte pressée, non cuite. Sa croûte naturelle est dure, sèche, de couleur grise et tachetée de moisissure jaune à orangée. Sa pâte est blanche, au goût acidulé. Ce fromage de plateau développe toute sa saveur du printemps à l'automne.

Terroir : haute Maurienne.
Diamètre : 20 cm.
Épaisseur : 6 cm à 7 cm.
Poids : 1,8 kg.
Production : laitière.

Gamay.

BREBIS Pâte pressée

Tomme et tommette
de brebis

FROMAGE FERMIER

La tomme de brebis, après avoir presque disparu, est de nouveau à la mode. Les brebis, qui avaient quitté les pâturages savoyards, reviennent sur les terres qu'elles fréquentaient autrefois. Ce fromage possède toutes les caractéristiques des tommes de Savoie. La seule différence provient du lait. Sa croûte est régulière et parfois percée de trous, comme la pâte. Affinée un mois au minimum, la tomme peut vieillir plus longtemps. Elle fond alors dans la bouche et développe un goût de noisette.
Elle se consomme toute l'année, en fin de repas ou en casse-croûte. La tomme fabriquée avec du lait d'été est plus parfumée.

Terroir : pays de Savoie.
Diamètre : 18 cm à 30 cm.
Épaisseur : 5 cm à 8 cm.
Poids : 1,5 kg à 3 kg.
Production : fermière.
Lait : cru.

Vins de Savoie.

CHÈVRE Pâte pressée

Tomme de chèvre

FROMAGE FERMIER

Les tommes de chèvre de montagne sont produites dans les vallées savoyardes de Belleville, de Morzine, de Courchevel, de Novel, du Lécheron ou de la Tarentaise. Tous ces fromages fermiers sont des pâtes pressées, à croûte naturelle. Les tommes de chèvre ont un goût franc et une croûte bien fleurie. Leur pâte blanche, relativement épaisse et caoutchouteuse, est percée de trous. Elles sont affinées durant deux mois à un an.
Ces fromages de plateau se consomment de l'été à Noël, mais sont meilleurs à l'automne.

Terroir : Savoie.
Diamètre : 17 cm à 25 cm.
Épaisseur : 4 cm à 7 cm.
Poids : 1 kg à 2 kg.
Production : fermière.
Lait : cru.

Gamay, Bordeaux.

La croûte, naturelle et bien fleurie, dissimule une pâte blanche et épaisse.

La pâte pressée est caoutchouteuse et percée de trous.

VACHE Pâte pressée

Tomme au marc
de raisin

FROMAGE FERMIER OU LAITIER

En voie de disparition, la tomme au marc de raisin est très aromatisée. Ce fromage de vache, à pâte pressée non cuite, macère pendant un mois dans un récipient contenant du marc de raisin. Le gène du marc se dépose sur le dessus du fromage et la pâte s'imprègne du goût du marc.
Cette tomme très compacte est légèrement collante au palais.
Fromage de plateau, la tomme au marc de raisin se consomme à partir des vendanges, jusqu'à la fin de l'hiver.

Terroir : pays de Savoie.
Diamètre : 19 cm à 21 cm.
Épaisseur : 5 cm à 6 cm.
Poids : 1,7 kg.
Production : fermière ou laitière.
Lait : cru.

Marc de Savoie ou de Bourgogne.

VACHE Pâte pressée

Tome de ménage ou boudane

FROMAGE FERMIER

En vieux patois savoyard, le mot "boudane" signifie tome de ménage. Actuellement, ce terme a été repris en tant que marque commerciale pour différencier cette tome, fabriquée en haute Tarentaise, des autres productions régionales. Ce fromage de vache, à pâte pressée non cuite, est produit comme les autres tommes. Il est affiné deux à trois mois. Sa pâte est jaune et sa croûte marron clair. Son temps d'affinage peut néanmoins se prolonger, voire se doubler. La pâte prend alors un goût acidulé. Ce fromage se consomme toute l'année, en fin de repas.

Terroir : haute Tarentaise.
Diamètre : 30 cm.
Épaisseur : 5 cm.
Poids : 3 kg à 4,5 kg.
Production : fermière.
Lait : cru.

Vins de Savoie ou Saint-Joseph.

Sous une croûte marron, une pâte jaune et acidulée.

VACHE Pâte tendre

Tomme de Romans

FROMAGE ARTISANAL OU LAITIER

À l'origine, le romans était fabriqué à partir de lait de chèvre. Avec la disparition des productions fermières, cette tradition s'est éteinte. Désormais issu du lait de vache, ce fromage à pâte tendre, non pressée et non cuite, est affiné pendant une dizaine de jours. Sur sa croûte naturelle, qui prend une couleur ivoire, apparaissent des traces de moisissure. Cette pâte tendre, qui se présente comme un gros saint-marcellin, est onctueuse et possède un petit arrière-goût de cave très agréable. Fromage de plateau, le romans se consomme toute l'année.

Terroir : vallons de la Drôme et de l'Ardèche.
Diamètre : 8 cm à 9 cm.
Épaisseur : 3,5 cm.
Poids : 200 g à 300 g.
Production : artisanale et laitière.
Lait : pasteurisé.

Crozes-Hermitage.

VACHE Pâte pressée

Tomme de Savoie

FROMAGE FERMIER OU LAITIER

Le terme de "tomme de Savoie" est un terme générique, car il existe autant de tommes que de vallée savoyardes ! Si elles ont toutes les mêmes caractéristiques et les mêmes méthodes de fabrication, leur goût diffère légèrement, essentiellement à cause des plantes que les vaches broutent en estive. La tomme de Savoie est un fromage au lait cru de vache et à pâte pressée, non cuite. Elle est fabriquée avec du lait écrémé ou entier. La croûte, toujours grise, se couvre de moisissure jaune ou rouge. Elle est régulière et parfois percée de trous, au même titre que la pâte. Cette dernière, blanche à jaune pâle, est collante et dégage une odeur de cave ou de moisi. Elle fond dans la bouche, où elle développe un goût de noisette. Affinées au minimum un mois, les tommes peuvent vieillir plus longtemps, car elles sont pressées pour éliminer le plus d'eau possible. Les tommes de Savoie, qui présentent également la particularité d'être assez pauvres en matière grasse, sont protégées par une garantie régionale de qualité : le label "Savoie". Elles se consomment toute l'année, en fin de repas ou en casse-croûte. Les tommes fabriquées avec du lait d'été sont plus parfumées.

Terroir : pays de Savoie.
Diamètre : 18 cm à 30 cm.
Épaisseur : 5 cm à 8 cm.
Poids : 1,5 kg à 3 kg.
Production : fermière, laitière, artisanale.
Lait : cru, entier ou écrémé.

Vins de Savoie.

VACHE Pâte pressée

Terroir : haute Tarentaise.
Diamètre : 25 cm à 30 cm.
Épaisseur : 8 cm.
Poids : 6 kg.
Production : fermière.
Lait : cru.

Mondeuse.

Tomme de Val-d'Isère

FROMAGE FERMIER

Ce fromage fermier de haute Tarentaise (Savoie) possède une pâte jaune, au léger goût de noisette. C'est une tomme qui suit les principes de la fabrication traditionnelle des tommes de Savoie. Son affinage dure un mois au minimum, mais peut se poursuivre bien au-delà. La tomme de Val-d'Isère est un fromage de plateau, qui atteint toute sa finesse du début de l'été à la fin de l'hiver.

La pâte jaune de ce fromage fermier possède un goût légèrement noisetté.

VACHE OU CHÈVRE Pâte molle

Tommette mi-chèvre des Bauges

FROMAGE FERMIER

Cette petite tomme est fabriquée lors de la montée en alpage, avec le lait issu d'un même troupeau. Ce fromage, dont la vente s'est nettement développée avec le tourisme, possède une pâte mi-dure, pressée et non cuite. Sa croûte naturelle est sèche et de couleur gris brun. Sa pâte, légèrement humide, est onctueuse, parfumée et agréable au goût. Son affinage s'étend sur deux à trois mois. Elle se déguste à l'automne, à la fin d'un repas.

Terroir : massif des Bauges (Savoie).
Diamètre : 10 cm à 11 cm.
Épaisseur : 5 cm.
Poids : 400 g.
Production : fermière.
Lait : cru.

Crépy.

VACHE Pâte molle

Terroir : massif des Bauges.
Diamètre : 21 cm.
Épaisseur : 4 cm à 4,5 cm.
Poids : 1,4 kg.
Production : fermière.
Lait : cru.

Vins blancs de Savoie.

Vacherin des Bauges

FROMAGE FERMIER

Le vacherin des Bauges (Savoie) est malheureusement un fromage en voie de disparition, car il n'existe plus actuellement que deux producteurs. Le vacherin d'Abondance, son frère jumeau, n'est également fabriqué que par deux producteurs.
Ce fromage de vache à pâte molle est cerclé d'un anneau en écorce d'épicéa, qui lui donne son parfum particulier. Après la traite, le fromage est versé dans un chaudron de cuivre et emprésuré. Puis, il est moulé à la louche, dans des bols garnis de toile. Le vacherin est ensuite égoutté dans sa toile et placé dans le cercle d'écorce, où il continuera à s'égoutter lentement. Le lendemain, il est salé. Enfin, il est affiné pendant une quinzaine de jours et retourné tous les matins. Une fine peau de crème le recouvre peu à peu. Sa croûte naturelle, blanche ou grisâtre et légèrement crevassée, abrite une pâte molle, voire coulante. Avec son goût de lait acidulé, ce fromage a une saveur douce et crémeuse. Il se déguste de décembre à février, avec des pommes de terre.

Le vacherin des Bauges tire sa saveur toute particulière de l'anneau d'épicéa qui le cercle.

Girolles au beaufort

Coupez les pieds des girolles. Essuyez-les et fendez-les en hauteur.
Dans une poêle, faites fondre le Saindoux et rissoler le lard coupé ainsi que les oignons. Faites revenir les girolles et étuvez-les une dizaine de minutes, en remuant. Salez, poivrez, ajoutez les oignons hachés, puis le persil. Mélangez parfaitement et couvrez en laissant mijoter à feu doux au moins trente minutes. Vérifiez l'assaisonnement et versez la crème en tournant encore à la spatule, durant cinq bonnes minutes. Ajoutez le beaufort râpé. Servez chaud.

Les ingrédients
600 g de girolles.
2 cuillères à soupe de Saindoux.
2 cuillères à soupe de persil haché.
125 g de beaufort.
125 g de lard de poitrine.
3 oignons blancs de taille moyenne.
125 g de crème fraîche.
Du sel.
Du poivre.

La tartiflette

Épluchez les pommes de terre, coupez-les en petits morceaux et faites-les cuire à l'eau.
Coupez le reblochon en deux. Tapissez le fond d'un plat avec une couche de pommes de terre, déposez dessus un demi-reblochon, croûte vers le haut, et des petits morceaux de lard. Couvrez de pommes de terre et mettez l'autre moitié de reblochon. Enfournez. Lorsque la croûte du reblochon est dorée, nappez de crème fraîche. Remettez au four cinq minutes. Servez chaud.

Les ingrédients
10 cl de crème fraîche.
1 reblochon.
1 kg de pommes de terre.
Du lard.

Le berthoud

Frottez d'ail l'intérieur des ramequins. Déposez-y de fines lamelles de fromage. Arrosez de vin blanc, poivrez et faites gratiner au four pendant une dizaine de minutes.

Les ingrédients
Ail, poivre, fromage d'abondance, vin blanc de Savoie.

LES Rabelais
GUILDE DES FROMAGERS
MAITRE FROMAGER
1993
Riesling
EPOISSES

L'Est

avec B. Antony, fromager à Vieux-Ferrette

ALSACE - JURA - BOURGOGNE

Trois régions bien distinctes – Alsace, Jura, Bourgogne –, pour des fromages au caractère bien trempé, à l'image du munster, du comté ou de l'époisses. Installé dans un petit village du Sundgau, entre Montbéliard et Mulhouse, Bernard Antony détient dans ses caves quelques trésors : chèvre des hautes Vosges, bargkass, ou bleu de Gex, trouvés chez des petits producteurs locaux.

Deux parcours gustatifs

Du brillat-savarin au bleu de Gex

La pâte assez sèche de la **tomme fermière des hautes Vosges** 2 ressemble à du marbre et offre une franche saveur noisettée.

Frais, **le brillat-savarin** 1 est onctueux et développe un goût prononcé de lait, une fois bien affiné.

Doucement parfumée, la pâte ferme et crémeuse du **bargkass** 3 s'acidifie un peu en vieillissant.

1 Les chiffres indiquent l'ordre de dégustation conseillé.

Le morbier 4 à la franche saveur et au goût inimitable, séduit tous les palais, car il n'est ni doux ni fort.

La pâte ivoire et marbrée du **bleu de Gex** 6 évoque le lait des plus riches pâturages.

Avec son odeur pénétrante et sa saveur marquée, **l'époisses** 5 laisse en bouche une délicate sensation de crème.

Comté, dans le Jura, munster, en Alsace

Avec son goût franc et doux, **le munster** 3 est le fromage alsacien par excellence.

Fromage au goût légèrement sucré, **le comté** 2 fond dans la bouche.

Le chèvre au marc de Bourgogne 1 présente une saveur noisettée, relevée par l'eau-de-vie.

« L'Alsace, c'est un munster sur un plateau ! Tous les autres fromages viennent l'honorer, comme une ronde ! »

Bonnes adresses

FERME DES PENSÉES SAUVAGES, Remspach, 68610 Linthal.
FROMAGERIE BERNARD ANTONY, 17, rue de Montagne, 68480 Vieux-Ferrette.
FROMAGERIE BERTHAUT, 21460 Époisses.
P. MOINE, Le Poiset, 21220 Gevrey-Chambertin.

VACHE Pâte molle

Abbaye de la Pierre-qui-vire
ou boule des moines

FROMAGE MONASTIQUE

Ce fromage à pâte molle, lisse et souple, non pressée et non cuite, est fabriqué par les moines de l'abbaye de la Pierre-qui-vire, en Bourgogne.
Il se mange peu affiné. Durant son affinage, sa croûte est lavée à la saumure, ce qui lui donne une saveur légèrement acide. Sa variante, la boule des moines, est aromatisée à l'ail, à la ciboulette, et poivrée. Tous ces aromates se développent agréablement en bouche.
S'il se consomme toute l'année en plateau, il est conseillé de le déguster de préférence en été ou à l'automne, périodes pendant lesquelles les vaches ont une alimentation plus riche et où leur lait est généralement plus parfumé.

Terroir : Bourgogne.
Diamètre : 7 cm.
Épaisseur : 2,5 cm.
Poids : 200 g.
Production : monastique.
Lait : cru.

Savigny.

Lavé à la saumure pendant son affinage, l'abbaye de la Pierre qui vire développe une saveur légèrement acide.

VACHE Pâte pressée

Abbaye de Cîteaux
ou trappe de Cîteaux

FROMAGE MONASTIQUE

Terroir : Bourgogne.
Diamètre : 18 cm.
Épaisseur : 4 cm.
Poids : 1 kg.
Production: monastique.
Lait : cru.

Bourgogne.

Fondée en 1098, l'abbaye de Saint-Nicolas-lès-Cîteaux fut le centre d'un ordre puissant, réformé par saint Bernard. Le fromage faisait partie de la diète des moines, jusqu'à ce que ceux-ci soient dispersés à la Révolution.
Les Cisterciens de la stricte observance sont revenus à Cîteaux, en 1898. Ils y ont installé une fromagerie en 1930, afin d'assurer des revenus supplémentaires à l'abbaye. Chaque année, quelque soixante tonnes de ce fromage sont toujours produites, grâce au lait d'une soixantaine de vaches montbéliardes.
Ce fromage à pâte pressée, non cuite, est composé à 45% de matière grasse sur sec. Son affinage dure entre trois et six semaines, et sa texture est souple et élastique. Sa pâte est protégée par une croûte lavée, légèrement orangée. Sa saveur est fruitée et dégage un bon goût de pâturage.
Fromage de table, on peut le déguster toute l'année.

Sous la croûte orangée se cache une pâte élastique, à la saveur douce et fruitée.

VACHE Pâte molle

Terroir : Bourgogne.
Diamètre : 16,5 cm à 19 cm.
Épaisseur : 3 cm à 4,5 cm.
Poids : 0,7 kg à 1,1 kg.
Production : laitière.
Lait : entier.

Santenay, Savigny-lès-Beaune, Santhenay et marc de Bourgogne.

Affidélis

FROMAGE LAITIER

Doté des mêmes caractéristiques que l'époisses, ce fromage n'est pas affiné au marc de Bourgogne, mais au Chablis. Cette différence lui donne sans doute un petit peu moins de caractère que le plus célèbre des fromages bourguignons.
L'affinage de l'affidélis, fromage issu du lait de vache, dure quatre semaines au minimum. Pendant cette période, cette pâte molle, à croûte lavée, est frottée à l'eau salée deux à trois fois par semaine. Sa texture, molle et onctueuse, laisse en bouche une sensation très savoureuse.
Ce fromage de plateau se déguste essentiellement de juillet à février.

Affiné au Chablis, l'affidélis laisse en bouche une sensation savoureuse.

VACHE Pâte molle

Terroir : Bourgogne.
Diamètre : 10 cm.
Épaisseur : 3 cm.
Poids : 250 g.
Production : fermière.
Lait : cru, entier.

Corton.

Aisy cendré

FROMAGE FERMIER

L'aisy cendré présente la particularité d'être fabriqué à partir de plusieurs fromages de Bourgogne encore frais, notamment l'époisses, que l'on place un mois sous la cendre pour les faire mûrir.
Fromage fermier, cette pâte molle, mi-dure, non pressée et non cuite, conserve des traces de cendre sur sa croûte naturelle. Son cœur, un peu plâtreux, est généralement entouré d'une pâte le plus souvent crémeuse, qui fond en bouche, laissant doucement apparaître la texture particulière du centre, salée et sèche.
Ce fromage de plateau se consomme toute l'année.

VACHE Pâte molle

L'ami du Chambertin

FROMAGE ARTISANAL

Haut de forme, l'ami du Chambertin a été créé en 1950 par Raymond Gaudry. En bouche, ce fromage au lait de vache, à pâte molle, non pressée et non cuite, est puissant sur les bords, fin et crémeux en son centre. Sa croûte, lavée, est plissée et prend une couleur rouge brique, à l'issue d'un affinage d'un mois au minimum. Il peut se consommer toute l'année, chaud avec une salade, accompagné d'un vin rouge fin comme le Gevrey-Chambertin, originaire du village où il est fabriqué, ou en plateau, avec un côtes-de-nuits.

Terroir : Bourgogne.
Diamètre : 9 cm.
Épaisseur : 4 cm.
Poids : 250 g.
Production : laitière.
Lait : cru.

Gevrey-Chambertin, Côtes-de-Nuits, marc de Bourgogne.

VACHE Pâte pressée

Bargkass

FROMAGE FERMIER

Née dans un village des Vosges (Le Thillot), cette tomme est destinée à écouler le lait, lorsque la production de munster est trop importante. Signifiant littéralement "fromage de montagne", le bargkass est agréable au goût, sans pour autant faire preuve d'un grand caractère.
Issue de lait de vache, cette pâte pressée, non cuite, est affinée six à huit semaines, durant lesquelles elle est brossée et retournée régulièrement. Lorsque l'affinage est achevé, sa croûte devient brun clair ou marron et porte des traces de toile. Sa pâte, crémeuse et ferme, est légèrement élastique et percée de petits trous bruns. Doucement parfumée et d'un goût agréable, elle peut devenir un peu acide en vieillissant.
Le bargkass se mange volontiers avec du pain noir au levain, du mois de mai au mois d'octobre.

Terroir : Vosges.
Diamètre : disque plat de 30 cm.
Épaisseur : 6 cm.
Poids : 7 kg à 8 kg.
Production : fermière.
Lait : cru.

Pinot noir.

Crémeuse et ferme, la pâte de ce fromage, à la croûte marron, s'acidifie un peu en vieillissant.

VACHE Pâte persillée

Bleu de Gex

FROMAGE LAITIER - AOC

Ce fromage est aussi connu sous le nom de bleu du Haut-Jura ou bleu de Gex-Septmoncel. Dépendantes de l'abbaye de Saint-Claude dès le Ve siècle, les hautes terres de Saint-Claude, dans le Haut-Jura, ne furent défrichées qu'à partir du XIIe siècle. Elles accueillirent alors des moutons et des chèvres. Avec l'arrivée de colons volontaires dauphinois, en 1343, à la suite de la cession du Dauphiné à la couronne de France, commença la production du "fromage gris", ancêtre du bleu du Haut-Jura. Un fromage au lait de vache, issu de montbéliardes ou de pies rouges de l'Est.
Le bleu de Gex, à pâte persillée, est toujours un fromage de vache montbéliarde, dont l'aire de production s'étend jusqu'au département de l'Ain. Le caillé, obtenu après emprésurage du lait à 27 °C, est traité manuellement. Une fois brassé, le fromage est versé dans des moules en bois, des "cuveaux", préalablement salés, où il reste entre quatre et six jours. Cette technique particulière donne à la pâte et à la croûte leur texture spécifique. Avant l'affinage, le bleu de Gex est piqué en cave pour permettre le développement du "pénicillium glaucum". L'affinage dure au moins trois semaines, pendant lesquelles la moisissure ne doit se développer que sous forme de veinages ou de marbrures. La croûte, fine et sèche, porte le nom du fromage incrusté en grandes lettres. Peu prononcé, l'arôme de la pâte évoque le lait des pâturages.
Ce fromage de plateau se consomme toute l'année, bien que meilleur en été. Il est utilisé dans de nombreux plats.

Terroir : Haut-Jura.
Diamètre : 34 cm.
Épaisseur : 8 cm à 10 cm.
Poids : 7,5 kg.
Production : laitière.
Lait : cru et entier.

Poulsard.

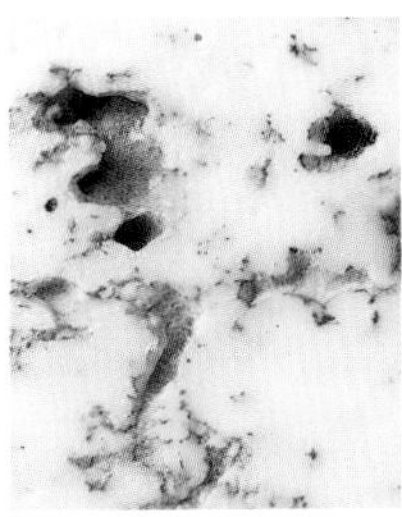

Trois semaines en cave fraîche et humide favorisent l'essor du pénicillium glaucum, dont est piquée la pâte du bleu de Gex.

Moult chèvres

On en compte plus d'une centaine de variétés classiques ; et on ne parlera pas ici des essais des néo-ruraux d'après 1968 !
On les découvre en palets, buches, pyramides, crotins. On les présente aromatisés ou entourés d'une feuille... c'est sûr, les chèvres sont des fromages qui marchent ! Et ce succès repose à la fois sur une extrême variété de saveurs – toujours franches et un peu fortes – liées à des terroirs distincts et surtout à la qualité des producteurs. Parmi les quelque dix sept mille producteurs fermiers, plus de sept mille sont de très bons professionnels...

VACHE OU CHÈVRE **Pâte molle**

Bouton de culotte

FROMAGE FERMIER

Ce fromage, de pâte molle à dure, non pressée et non cuite, est apprécié des Bourguignons au moment des vendanges. Il est fabriqué soit avec du lait de chèvre soit avec du lait de vache et, parfois, avec les deux.
Il peut se consommer après un affinage de deux semaines, pendant lesquelles il développe une croûte naturelle légèrement veinée de bleu et une saveur de bon lait entier. Si l'affinage se prolonge, il devient légèrement piquant.
C'est un fromage de plateau, qui se déguste surtout à la fin de l'été.

Terroir : Bourgogne.
Diamètre : 4 cm.
Épaisseur : 4 cm.
Poids : 40 g.
Production : fermière.
lait : cru.

Chablis ou Pernand-Vergelesse.

CHÈVRE **Pâte molle**

Terroir : Charolais, en Bourgogne.
Aspect : cylindre vertical.
Diamètre : 5 cm.
Hauteur : 8 cm.
Poids : environ 95 grammes.
Production : fermière ou artisanale.
Lait : cru.

Mercurey, Rully, Saint-Estèphe.

Charolais

FROMAGE FERMIER OU ARTISANAL

Ce fromage est né dans les plaines granitiques du Charolais, en Bourgogne. Il était traditionnellement fabriqué de mères en filles. Cette pâte, non pressée et non cuite, a la faculté de mettre en valeur toutes les qualités du lait. Son affinage dure entre deux et six semaines. Ce chèvre développe alors un goût caprique marqué. Sa douceur se développe en bouche. À point, sa croûte naturelle est couverte de moisissures bleues ou blanches.
Il se consomme aux repas, en casse-croûte et lors de dégustations de vins.

VACHE **Pâte crue**

Chèvre affiné au marc de Bourgogne

FROMAGE FERMIER

Ce chèvre est fabriqué par un seul producteur, situé sur les hauteurs de Gevrey-Chambertin, au cœur de la Bourgogne.
L'affinage de ce fromage au lait de chèvre, à pâte tendre, non pressée, non cuite, s'étend sur quatre semaines. Comme l'époisses, auquel il ressemble, il est affiné au marc de Bourgogne et empreint d'une légère saveur noisettée. Il se consomme à partir du printemps et jusqu'à l'automne.

Terroir : Bourgogne.
Diamètre : 5 cm à 6 cm.
Épaisseur : 3 cm à 4,5 cm.
Poids : 100 g à 130 g.
Production : fermière.
Lait : cru.

Pouilly-fumé, riesling.

VACHE Pâte pressée

Emmental grand cru

FROMAGE FERMIER

Si la fabrication de l'emmental grand cru est attestée dès la fin du Moyen Âge, ce fromage ne s'est réellement implanté dans le Jura qu'après la Première Guerre mondiale.
L'emmental grand cru est un fromage de vache, à pâte cuite et pressée. L'étiquette de caséine rouge, apposée sur la meule, est une garantie de qualité, dans la mesure où elle précise le lieu de production et le nom du fabricant. Son affinage, qui dure entre dix semaines et quinze mois, est suivi d'un sévère contrôle de qualité. Sa croûte, de couleur jaune clair à jaune doré, est sèche et lisse. Sa pâte, ivoire, est homogène, suffisamment ferme et fine, souple et non collante, avec des ouvertures (yeux) bien détachées, régulières et franches, de forme sphérique et ovale, de la taille d'une noix. Son goût est franc et fruité et développe une saveur beaucoup plus intense que les autres emmentals français. Ce fromage de plateau se consomme toute l'année.

Terroir : Jura.
Diamètre : 75 cm.
Épaisseur : 16 cm à 25 cm.
Poids : 70 kg à 80 kg.
Production : laitière.
Lait : cru.

Mercurey.

Colombier

FROMAGE FERMIER

Le colombier est le fruit des recherches de madame Pinszon du Sel. Cet ancien professeur d'anglais, reconvertie dans la fabrication de fromages, s'est installée dans une ferme de l'Auxois, à Sivry, en Bourgogne. S'inspirant des méthodes de fabrication des fromages utilisés autrefois dans les fermes bourguignonnes, elle a mis au point, vers 1980, un fromage crémeux sous une croûte fleurie. Il s'agit d'un caillé lactique, comme l'époisses, mais qui n'est ni lavé ni affiné au marc, seulement retourné. L'affinage dure quatre semaines.

Terroir : Auxois (Bourgogne).
Diamètre : 16,5 cm à 19 cm.
Épaisseur : 3 cm à 4,5 cm.
Poids : 250 g à 300 g.
Production : fermière.
Lait : entier.

Puligny-Montrachet, Santenay, Savigny-lès-Beaune.

VACHE Pâte pressée, cuite

Comté

FROMAGE ARTISANAL - AOC

Le comté appartient à la grande famille des gruyères, dont l'origine remonte au Moyen Âge. En Franche-Comté, aux XIIe et XIIIe siècles, les grandes roues de fromages, produites dans des "fruiteries", permettaient de se procurer un peu de nourriture pour les longs mois d'hiver. Il fallait quelque cinq cents litres de lait pour fabriquer une meule. Issu exclusivement du lait des vaches montbéliardes et pies rouges de l'Est, le comté est une pâte pressée et cuite, fabriquée à partir de lait cru. Il se présente sous la forme d'une meule d'environ soixante centimètres de diamètre. Élaboré au sein de fruitières disséminées dans toute la zone de production, il offre une importante variété de goûts. Son affinage, sur des planches d'épicéa, dure de quatre mois à un ou deux ans et demi. Sa croûte

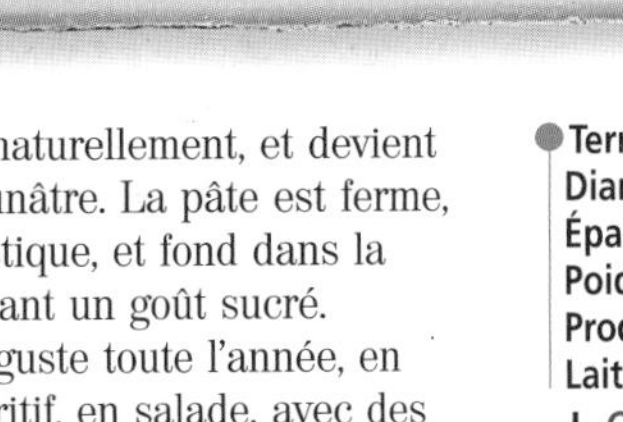

se forme alors naturellement, et devient jaune d'or à brunâtre. La pâte est ferme, légèrement élastique, et fond dans la bouche en laissant un goût sucré.
Le comté se déguste toute l'année, en plateau, à l'apéritif, en salade, avec des fruits ou dans une fondue.

Terroir : Doubs, Jura, Ain.
Diamètre : 60 cm.
Épaisseur : 9 cm à 13 cm.
Poids : 35 kg et 55 kg.
Production : artisanale.
Lait : cru.

Château-Chalon, Savigny, Vin jaune.

VACHE Pâte molle

Terroir : Bourgogne.
Diamètre : 16,5 cm à 19 cm.
Épaisseur : 3,5 cm à 4,5 cm.
Poids : 0,7 à 1,1 kg.
Production : laitière.
Lait : cru.

Chablis, Puligny-Montrachet, Santenay, Savigny-lès-Beaune, Santhenay et marc de Bourgogne.

Époisses

FROMAGE FERMIER OU LAITIER - AOC

L'époisses est le plus ancien et le plus célèbre des fromages bourguignons. Il aurait été créé par les moines cisterciens, installés dans le village d'Époisses depuis le XVIe siècle. Son usage aurait été introduit à la cour de Louis XIV par le comte de Guitaut.

La croûte, lisse ou légèrement ridée, de couleur ivoire orangé à rouge brique, abrite une pâte souple et onctueuse.

Ce fromage au lait de vache, qui contient 50 % de matière grasse sur sec, est le fruit d'une production fermière et laitière, répartie entre quatre producteurs. Cette pâte molle, à croûte lavée, est un fromage à égouttage spontané, obtenu par coagulation à tendance lactique. Affiné sur des claies, il est lavé à l'eau salée, ou parfois claire, deux à trois fois par semaine. La deuxième semaine, il change de couleur et sa croûte devient rougeâtre. C'est à ce moment qu'entre en action le marc de Bourgogne. En ajoutant de l'eau, le fromager s'en sert pour laver le fromage. L'affinage s'achève au bout de quatre semaines, mais peut être poursuivi plus longtemps. La croûte prend alors une teinte cuivrée. Sa texture est molle et onctueuse, et son goût franc. Il dégage une forte odeur. L'époisses, qui se coupe en quartiers, du centre vers l'extérieur, se déguste de juillet à février.
Fromage de plateau, principalement, il peut aussi entrer dans la composition de certaines recettes.

VACHE Pâte molle

Terroir : Vosges, Côte-d'Or, Haute-Marne.
Diamètre : 16 cm à 20 cm (grand format), 7,5 cm à 9 cm (petit format).
Épaisseur : 5 cm à 7 cm (grand format), 4 cm à 6 cm (petit format).
Poids : 800 g (grand format), 150 g (petit format)
Production : laitière.
Lait : entier.

Mercurey, Nuits-Saint-Georges, Médoc.

Langres

FROMAGE LAITIER - AOC

Le langres est un fromage ancien, dont on retrouve les premières traces dans un chant composé par le prieur des Dominicains de Langres, au XVIIIe siècle. À l'origine, il était préparé à la ferme, à partir de lait encore tiède versé dans des "fromottes" de terre cuite. Démoulés, les fromages étaient séchés sur des feuilles de platane, puis affinés sur de la paille d'avoine. Aujourd'hui, le caillé est égoutté pendant environ vingt-quatre heures, puis démoulé, salé à sec et séché sur grille.
Fabriqué avec du lait de vache entier provenant des pâturages du Bassigny et du plateau de Langres, ce fromage, à pâte molle et croûte lavée, existe en petit et grand format. Son affinage, par frottages successifs, dure de quinze jours (petit format) à vingt et un jours (grand format). La croûte devient alors jaune clair à brun rouge, avec éventuellement un petit duvet blanc qui vire au rouge brun en cours d'affinage. Sur le dessus, la "cuvette" se creuse également au même moment.

Il possède une odeur pénétrante. Sa pâte blanche est crémeuse et son goût a de la force, sans être agressif.
Fromage de plateau, le langres peut aussi servir à la confection de plats chauds. Il se mange toute l'année.

VACHE ET/OU CHÈVRE **Pâte non pressée**

Mâconnais

FROMAGE FERMIER

Ce fromage peut se fabriquer soit avec du lait de vache, soit avec du lait de chèvre, soit avec un savant mélange des deux.
Il est parfois désigné sous le nom de "chevreton de Mâcon".
Sa pâte, non pressée et non cuite, peut être tendre à dure. Elle est couverte d'une croûte naturelle légèrement grisée. Son affinage dure environ deux semaines, mais peut se prolonger pour obtenir un fromage très dur, assez salé. La pâte dégage une odeur d'herbes de printemps. C'est un fromage de plateau, qui se déguste toute l'année.

Terroir : Bourgogne, région de Mâcon.
Diamètre : 4 cm à 5 cm.
Épaisseur : 3 cm à 4 cm.
Poids : 50 g à 60 g.
Production : fermière ou artisanale.
Lait : cru.

Bourgogne aligoté.

VACHE **Pâte pressée**

Le montagnard

FROMAGE LAITIER

Le montagnard possède les mêmes caractéristiques que le morbier. Mais cette pâte pressée, qui est aussi un fromage de montagne, n'est pas striée horizontalement par une raie de charbon végétal. Elle est plus ferme et possède un goût aussi franc.

Terroir : Franche-Comté.
Diamètre : 30 cm à 40 cm.
Épaisseur : 6 cm à 8 cm.
Poids : 5 kg à 9 kg.
Production : laitière.
Lait : cru.

Seyssel.

VACHE **Pâte pressée**

Morbier
ou faux septmoncel

FROMAGE LAITIER

Le morbier est né au milieu des années soixante-dix dans la région située entre Pontarlier et Saint-Claude, dans les fermes du mont Risoux.
Cette pâte pressée, à la croûte naturelle, brossée, est un fromage au lait de vache dont le centre est strié horizontalement par une raie de charbon végétal.
Autrefois, elle résultait d'un saupoudrage de suie du caillé frais. Aujourd'hui elle est purement décorative. Son affinage s'étend sur un à deux mois, pendant lesquels le fromage développe une croûte fine, gris clair à beige. Sa pâte souple est onctueuse, mi-sèche, mi-collante, avec des ouvertures discrètes de couleur homogène. Elle est ivoire à jaune pâle, et présente une saveur franche.

Terroir : Franche-Comté.
Diamètre : 30 cm à 40 cm.
Épaisseur : 6 cm à 8 cm.
Poids : 5 kg à 9 kg.
Production : laitière, fermière, artisanale.
Lait : cru ou pasteurisé.

Seyssel.

Caractéristique du morbier, la raie noire, qui strie horizontalement la pâte ivoire à jaune pâle, n'a plus aujourd'hui qu'une simple fonction décorative.

Munster-géromé

FROMAGE FERMIER OU LAITIER - AOC

Terroir : les versants alsaciens et lorrains des Vosges (Bas-Rhin, Haut-Rhin, Vosges, Meurthe-et-Moselle, Haute-Saône, Territoire de Belfort).
Diamètre : cylindre plat de 13 cm à 19 cm.
Épaisseur : 2,4 cm à 8 cm.
Poids : 450 g à 1,5 kg.
Production : fermière ou laitière.
Lait : cru ou pasteurisé.

Gewurztraminer ou Pinot noir.

La riche variété de la flore naturelle, le savoir-faire ancestral des maîtres fromagers et l'ambiance des caves d'affinage donnent au munster tout son goût, et en font un véritable fromage de terroir. Il fut inventé au VIIe siècle par les moines du "Monasterium confluentes", dans la vallée de Munster, au sud du massif des Vosges, pour conserver le lait et nourrir la population. Apparu en 855, le géromé est un gros munster.
Sa pâte molle, à croûte lavée, est issue de lait de vache. Il contient au minimum 45 % de matière grasse. L'appellation "petit munster-géromé" est réservée aux fromages de sept à douze centimètres de diamètre et de deux à six centimètres de hauteur, pour un poids minimum de 125 grammes. Non malaxé, le caillé est égoutté lentement et salé après démoulage. Il est ensuite affiné en cave pendant vingt et un jours au moins, puis lavé et retourné tous les deux jours. Un bon munster se reconnaît à une croûte lisse, de couleur jaune orangé à rouge orangé. Sa pâte doit être souple et onctueuse. Son fumet est typique et son goût franc, sans être fort. Pour bien le choisir, il faut avoir recours aux sens. À l'œil, la croûte doit paraître lisse et légèrement humide ; au toucher, la pâte doit sembler souple et onctueuse ; son odeur doit être typique et sa saveur franche et relevée. Le munster se mange avec des pommes de terre chaudes, en robe des champs. Il entre aussi dans la composition de recettes régionales, comme la quiche au munster. Pour les puristes, le munster ne doit absolument pas être consommé avec du cumin. L'été et l'automne restent les meilleures saisons pour le déguster fermier, car les vaches sont en pâturage, dans les hautes chaumes. Le munster laitier, en revanche, se mange toute l'année.

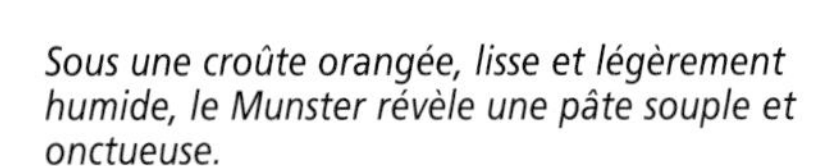

Sous une croûte orangée, lisse et légèrement humide, le Munster révèle une pâte souple et onctueuse.

Munster au cumin

Le munster au cumin, bien qu'il ne soit pas recommandé par les puristes, possède un goût particulier.

Munster des Vosges

Munster d'Alsace

Selon l'AOC, le munster peut être fabriqué en Alsace et en Lorraine. Il possède les mêmes caractéristiques, mais son goût diffère un peu.

CHÈVRE Pâte pressée

Tomme fermière
des hautes Vosges

FROMAGE LAITIER

Cette tomme est fabriquée par un seul fromager, installé dans les hautes Vosges et dont les chèvres sont élevées en pleine nature. La production s'arrête en décembre. L'affinage de ce chèvre à pâte pressée dure au moins deux mois, mais plus il est long, plus le goût se développe. Un affinage parfait se reconnaît à une pâte qui ressemble à du marbre, à l'intérieur, même si elle conserve une sécheresse apparente. Au goût très fin, la tomme de chèvre des hautes Vosges prend du caractère en vieillissant. Elle se consomme toute l'année en plateau ou accompagnée d'un pain simple.

Terroir : hautes Vosges.
Diamètre : disque de 12 cm à 13 cm.
Épaisseur : 6 cm à 7 cm.
Poids : 1 kg.
Production : fermière.
Lait : pasteurisé.

Riesling ou Pinot gris sec.

RÉUSSIR UN PLATEAU

Élaborer un plateau, c'est le mettre en scène... Il faut de l'originalité, et un doigt de talent. Les maîtres mots sont fraîcheur, équilibre et discrétion. Fraîcheur, car un fromage terne ou suant n'a rien d'appétissant ! Équilibre, entre les couleurs, les formes et les dimensions. Discrétion, quant à la maturité des fromages présentés. S'ils ont été conservés dans le bas du réfrigérateur, il faut les sortir une bonne heure avant de les consommer. Le plateau, lui, peut être d'osier, de marbre ou de bois ; jamais de plastique ou de métal. On posera les fromages sur un lit de feuilles ou de paille, sans qu'ils se touchent.

VACHE Pâte molle

Mont d'Or
ou Vacherin du haut Doubs

FROMAGE ARTISANAL

Ce traditionnel fromage franc-comtois est fabriqué, depuis le XVe siècle, dans le Haut-Jura. Au début de l'automne, les troupeaux regagnent les étables après avoir passé l'été dans les hauts pâturages. C'est alors que débute la fabrication du mont d'or, fromage saisonnier, pur produit de montagne. À la fin du XVIIIe siècle, sa production est assez importante pour figurer dans l'inventaire départemental des activités fromagères, où il est décrit « comme un fromage dit de crème, à cause de son goût et de sa consistance molle, qui ressemble à de la bouillie épaisse ».
Le mont d'or est un fromage au lait cru de vache, à pâte molle, non cuite, légèrement pressée. Il est cerclé d'une écorce d'épicéa et emballé dans une boîte en bois de sapin ou d'épicéa. L'affinage se fait en cave, sur des planches d'épicéa. Il est retourné et frotté à l'eau salée. L'affinage se poursuit ensuite dans sa boîte, pendant au moins trois semaines. Sa croûte est jaune à brun clair, plissée. Sa pâte est blanche, tendre, très onctueuse, légèrement humide. Il dégage une légère odeur de fermentation et sa saveur est douce et crémeuse.
Il se mange habituellement en fin de repas et peut se déguster à la petite cuillère. Il se consomme également sous forme de "fondue au mont d'or": le centre du fromage est alors creusé et rempli de vin blanc du Jura, avant d'être chauffé à feu doux et dégusté accompagné de pommes de terre.

Terroir : Doubs.
Diamètre : 20 cm à 30 cm.
Épaisseur : 3 cm à 5 cm.
Poids : 500 g à 1 kg.
Production : laitière.
Lait : cru.

Blancs et rouges de l'Arbois et du Jura.

Quiche au munster

Pour huit personnes
Les ingrédients pour la pâte :
250 g de farine.
150 g de beurre.
1 œuf.
1,5 dl d'eau.

Les ingrédients pour la garniture :
6 œufs.
250 g de crème fraîche.
1/2 munster crémeux.
2 grands blancs de poireaux.
150 g de lard fumé.
Du sel.
Du poivre.
De la muscade râpée.

Pour préparer la pâte, creusez un puits dans la farine, déposez-y une pincée de sel, l'œuf entier et les 150 grammes de beurre ramolli, ajoutez-y un peu d'eau et travaillez du bout des doigts afin d'obtenir une boule de pâte souple. Tenez au frais 10 minutes.
Émincez les poireaux, lavés au préalable, puis faites-les revenir dans 30 grammes de beurre. Ajoutez un verre d'eau. Réservez les poireaux cuits. Coupez le lard en dés et faites-le revenir dans une poêle. Réservez les lardons (sans la graisse). Étendez la pâte au rouleau, chemisez un moule à tarte beurré de 26 cm de diamètre, piquez la pâte avec une fourchette. Ôtez la croûte du munster. Coupez-le en fines tranches. Répartissez-les sur la pâte. Préparez dans un récipient les œufs battus en omelette, la crème fraîche, le sel, le poivre, la muscade,

les poireaux et les lardons. Mélangez le tout et versez-le sur la pâte. Enfournez le moule à thermostat 7, une heure environ.
Servez chaud.

Soufflé au bleu de Gex

Faites fondre 50 grammes de beurre. Avec les 20 grammes restants, préparez le moule à soufflé. Dans le beurre, ajoutez de la farine. Faites cuire doucement et incorporez le lait froid. Portez à ébullition. Après avoir retiré la casserole du feu, ajoutez le fromage coupé en très fines lamelles. Séparez les jaunes d'œufs des blancs puis mélangez les jaunes dans une casserole, un par un. Montez les blancs en neige et mélangez avec le reste. Mettez à four chaud, thermostat 5/6, pendant une vingtaine de minutes. Servez aussitôt.

Les ingrédients :
70 g de beurre.
40 g de farine.
1/4 de litre de lait.
150 g de bleu de Gex.
5 œufs et deux blancs d'œuf.

Recette du restaurant "Au retour de la chasse" (39200 Saint-Claude). Tél. : 03 84 45 44 44.

Pommes de terre
farcies de munster fermier

Faites cuire les pommes de terre en robe des champs. Sans les éplucher, coupez-en le haut, puis videz-les à l'aide d'un petit couteau ou d'une cuillère à pommes parisiennes. Grattez la peau du munster et coupez-le en petits dés. Farcissez les pommes avec le fromage, refermez-les, disposez-les sur un plat à gratin et passez-les au four chaud (180 °C), avec une noisette de beurre, pendant 10 minutes. Émulsifiez la vinaigrette au mixeur avec les grains de cumin. Servez les pommes de terre encore chaudes, accompagnées d'une salade assaisonnée avec de l'échalote hachée.

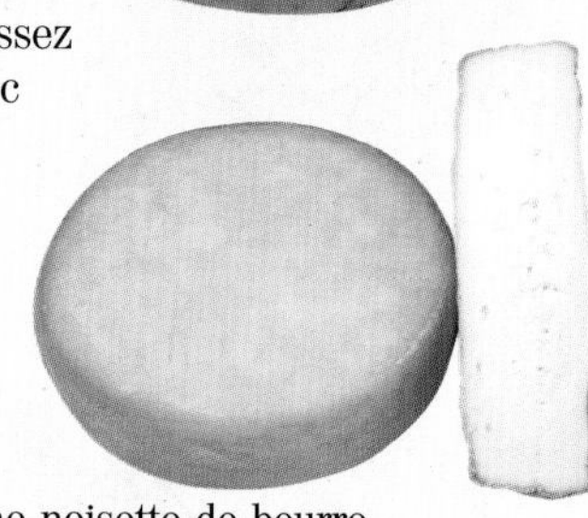

Pour six personnes
Les ingrédients :
30 pommes de terre nouvelles "grenailles ou rates".
250 g de munster.
300 g de mélange de salade.

Les ingrédients pour la vinaigrette :
6 cuillerées à soupe d'huile de noix.
2 cuillerées à soupe de vinaigre de cidre.
1 cuillerée à soupe d'eau tiède.
50 g de cumin.
1 échalote hachée.

L'art de couper

les fromages

RONDES, TRIANGULAIRES, PYRAMIDALES, CYLINDRIQUES OU TRONCONIQUES, LES FORMES DES FROMAGES SONT AUSSI VARIÉES QUE LEURS SAVEURS. POUR QUE CHAQUE CONVIVE APPRÉCIE PLEINEMENT UN CRU, IL DOIT POUVOIR DÉGUSTER UNE PART QUI VA DE LA CROÛTE JUSQU'AU CŒUR. MODE D'EMPLOI.

Le Nord

avec Ph. Olivier, fromager à Boulogne/Mer

NORD DE LA FRANCE - CHAMPAGNE ET ILE -DE-FRANCE

Des rives de la mer du Nord, jusqu'au bassin de la Beauce, en passant par la Champagne, la France septentrionale offre une belle diversité de fromages. D'origine normande, Philippe Olivier, affineur installé à Boulogne, défend avec passion les fromages de son terroir d'adoption. Grâce à lui, certains d'entre eux presque oubliés, comme la boulette d'Avesnes affinée à la bière, sortent de l'oubli ; d'autres, plus récents, comme le crayeux de Roncq, entrent dans le patrimoine régional.

Deux parcours gustatifs

Bergues, chaource, boulette de Cambrai, rollot

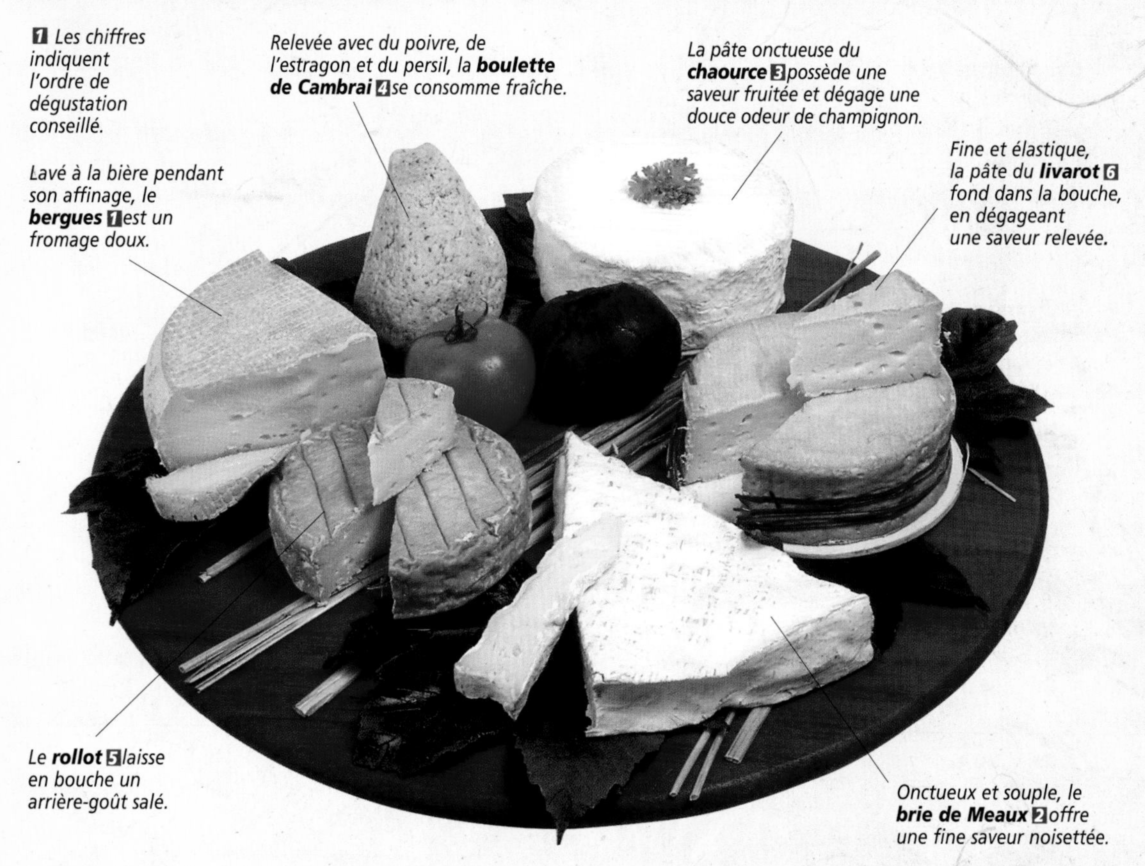

1 Les chiffres indiquent l'ordre de dégustation conseillé.

Lavé à la bière pendant son affinage, le **bergues** 1 est un fromage doux.

Relevée avec du poivre, de l'estragon et du persil, la **boulette de Cambrai** 4 se consomme fraîche.

La pâte onctueuse du **chaource** 3 possède une saveur fruitée et dégage une douce odeur de champignon.

Fine et élastique, la pâte du **livarot** 6 fond dans la bouche, en dégageant une saveur relevée.

Le **rollot** 5 laisse en bouche un arrière-goût salé.

Onctueux et souple, le **brie de Meaux** 2 offre une fine saveur noisettée.

Maroilles, mimolette et trappe de Bailleul

Onctueux et souple, le **maroilles** 3 offre la saveur corsée de son terroir.

Délicatement salée, la **trappe de Bailleul** 1 se marie facilement avec ses compagnons de plateau.

La **mimolette** 2 cassante et grasse, laisse au palais une impression de douceur.

> « Le mariage du fromage avec la bière, est une tradition qu'il faut découvrir pour apprécier notre terroir. »

Bonnes adresses

FROMAGERIE BARTHÉLÉMY, 51, rue de Grenelle, 75007 Paris.
FROMAGERIE DUBOIS, 80, rue de Tocqueville, 75017 Paris.
PHILIPPE OLIVIER, 43, rue Thiers, 62200 Boulogne-sur-Mer.
QUENTIN CRÉMERIE, halles du Beffroi, place Maurice-Vast, 80000 Amiens.

VACHE Pâte molle

Bergues

FROMAGE FERMIER OU ARTISANAL

D'après Léon Moreel, écrivain régional, le bergues est « un fromage un peu mou, fabriqué par des paysans laborieux utilisant tous les sous-produits de leur lait. Il est crayeux comme les pignons des vieux pigeonniers du terroir ». Ce fromage à pâte molle, durcie, et au lait légèrement écrémé, a longtemps été une imitation des fromages hollandais du XVIIIe siècle. Mais il a aujourd'hui acquis une vraie personnalité. Affiné une vingtaine de jours dans des caves surélevées, "les hoffsteads", il est lavé à la bière deux fois par semaine. Sa croûte prend alors une couleur crayeuse et sa pâte celle des coquilles d'œuf. Il y a vingt ans, seuls trois ou quatre producteurs fabriquaient le bergues, qui tire son nom d'une localité située à quelques kilomètres de Dunkerque. Aujourd'hui, ils sont une quarantaine. Un bel exemple de résurrection d'un fromage qui aurait pu disparaître.
Le bergues se consomme toute l'année, en fromage de plateau.

Terroir : Flandre maritime.
Diamètre : 20 cm à 22 cm.
Épaisseur : 4 cm à 6 cm.
Poids : 1,7 kg.
Production : artisanale et fermière.
Lait : en partie écrémé.

Reuilly, bière blanche.

Lavé à la bière deux fois par semaine, pendant son affinage, le bergues développe une croûte de couleur crayeuse.

VACHE Pâte molle

Boulette d'Avesnes

FROMAGE FERMIER OU LAITIER

Autrefois, dans la région d'Avesnes, le promeneur attentif pouvait remarquer, au-dessus des fenêtres des maisons, ces planches clouées où l'on faisait sécher et dorer au soleil la fameuse "boulette". Malheureusement, cette coutume tend à disparaître.
La boulette est un fromage à pâte molle, malaxé et modelé à la main, en forme de cône. Il est aromatisé de persil, d'estragon, de poivre et de girofle. Il peut également être roulé dans le paprika, chaque producteur ayant sa recette. "Caressée" à la bière pendant quelques semaines, sa croûte devient rouge brique. Malgré une mauvaise réputation tout à fait injustifiée, ce fromage développe une saveur modérée.
Il se consomme toute l'année.

Terroir : Avesnois.
Diamètre : cône de 6 cm à 8 cm à la base.
Épaisseur : 10 cm.
Poids : 180 g à 250 g.
Production : fermière et laitière.
Lait : cru ou pasteurisé.

Côtes-de-Beaune ou bière ambrée.

VACHE Pâte molle

Boulette de Cambrai

FROMAGE FERMIER OU ARTISANAL

De la même famille que la boulette d'Avesnes, la boulette de Cambrai, façonnée à la main, est conique. Mais on la trouve aussi sous forme de boule. Le goût doux de ce fromage à pâte molle est relevé par quelques condiments.
Il se consomme toute l'année, frais ou légèrement séché.

Terroir : Cambrésis.
Diamètre : cône de 8 cm à la base.
Épaisseur : 8 cm.
Poids : 200 g.
Production : fermière ou artisanale.
Lait : cru ou pasteurisé.

Beaujolais, bière.

VACHE Pâte molle

Brie de Meaux

FROMAGE ARTISANAL OU LAITIER - AOC

L'origine du brie de Meaux reste encore inconnue. On trouve sa trace dès le règne de Charlemagne, qui l'aurait beaucoup apprécié. Blanche de Navarre, comtesse de Champagne, en envoyait au roi Philippe Auguste, et Charles d'Orléans en faisait présent aux dames de sa cour. Henri IV l'aimait en tartines. Quant à Talleyrand, il l'a consacré "roi des fromages", en 1814...
Ce fromage salé, à pâte molle et à croûte fleurie d'un fin duvet blanc, est moulé à l'aide d'une pelle à brie. Son affinage, lent et régulier, dure quatre semaines au cours desquelles il est retourné plusieurs fois. Sa croûte se parsème alors de pigments rougeâtres et sa pâte devient jaune paille clair. Le brie de Meaux doit être onctueux, souple, mais non coulant. Son goût riche et concentré dégage une fine saveur de noisette. Il se déguste de l'été à l'hiver, en fin de repas ou en canapés et croquettes.

Terroir : Seine-et-Marne.
Diamètre : 35 cm à 37 cm.
Épaisseur : 2,5 cm.
Poids : 2,6 kg.
Production : artisanale et laitière.
Lait : cru.

Beaujolais, Bordeaux, Bourgogne.

Moulé manuellement, à l'aide d'une pelle à brie, le brie de Meaux se couvre de pigments rougeâtres pendant les quatre semaines de son affinage.

Il entre dans la composition de nombreuses recettes régionales.

VACHE Pâte molle

Terroir : Seine-et-Marne, Aube.
Diamètre : 27 cm.
Épaisseur : 3 cm.
Poids : 1,5 kg.
Production : artisanale.
Lait : cru.

Chambertin.

Brie de Melun

FROMAGE ARTISANAL - AOC

Le brie de Melun ne se fabriquait, autrefois, que dans les fermes. Aujourd'hui, de petites laiteries ont pris le relais. Il ne faut surtout pas le prendre pour un "petit" brie de Meaux ; c'est un fromage qui possède sa propre personnalité. Les novices lui trouvent un goût surprenant, voire piquant, mais il est particulièrement apprécié des connaisseurs, une fois bien affiné.
Ce fromage à pâte molle subit d'abord une coagulation d'au moins dix-huit heures, grâce à l'apport de présure. Salé exclusivement au sel sec, il doit ensuite être manipulé avec beaucoup de précautions, en raison d'une grande fragilité. Affiné pendant quatre semaines au moins, il développe une croûte mince, parsemée de stries et recouverte d'un feutrage blanc (la fleur), qui, avec l'affinage, peut être taché de rouge, voire de marron.
Sa pâte est jaune d'or, bien homogène, souple et élastique, sans mollesse. Il dégage une odeur de moisissure. Consommé de l'été à l'hiver, ce fromage de plateau entre aussi dans la composition de recettes régionales. Marié à de la poire, il dégage toute sa saveur.

VACHE Pâte molle

Chaource

FROMAGE ARTISANAL OU LAITIER - AOC

L'origine du chaource est assez floue. Pour certains, il viendrait de l'abbaye cistercienne de Pontigny (dans l'Yonne). Mais des textes du XVIe siècle attestent de la fabrication de ce fromage par des paysans de la région de Chaource.

La croûte du chaource, à fleur blanche et couverte d'une légère pigmentation rougeâtre, abrite une pâte fine et lisse, d'un blanc homogène.

Terroir : Aube et Yonne.
Diamètre : 8 cm ou 11 cm.
Épaisseur : 6 cm.
Poids : 200 g ou 450 g.
Production : artisanale et laitière.
Lait : entier.

Vin blanc sec de Malvoisie.

Jusqu'au milieu du XXe siècle, produit essentiellement familial, il ne se vendait que sur le marché de Troyes.
Fromage à pâte molle, le chaource est placé dans des moules ronds sans fond et perforés, qui sont disposés sur des planches afin de parfaire son égouttage ; puis, il est salé et séché sur des paillons de seigle. Son affinage dure au moins quinze jours, pendant lesquels sa croûte, à fleur blanche, se couvre d'une légère pigmentation rougeâtre.
Sa pâte, onctueuse, à la saveur douce et fruitée de noisette acidulée, doit être souple et sans mollesse. Le chaource dégage une odeur de champignon et de crème.
Fromage de plateau à consommer en été et à l'automne, il peut aussi être présenté à l'apéritif, accompagné d'un porto ou d'un champagne.

VACHE Pâte molle

Cœur d'Arras

FROMAGE ARTISANAL

Ce cœur d'Arras fait partie du patrimoine historique et gastronomique de la ville dont il porte le nom. Il était fabriqué à l'occasion de la fête des "Cats" ou fête des Rats, durant laquelle on dégustait toutes sortes de victuailles (pains d'épice, pâtés de poisson, fromages...) découpées en forme de cœur.
Proche du maroilles, le cœur d'Arras est un fromage à pâte molle, affiné pendant trois à quatre semaines.
Sa croûte, lavée et humide, dégage une odeur fine et agréable. Par rapport à d'autres pâtes lavées du Nord, le cœur d'Arras présente la particularité de fondre dans la bouche. Il doit donc être mangé souple et non sec.
Meilleur à la fin du printemps, il se consomme jusqu'en automne.

Terroir : Artois.
Dimension : cœur de 10 cm de large.
Épaisseur : 3 cm.
Poids : 200 g.
Production : artisanale.
Lait : pasteurisé.

Châteauneuf-du-pape.

VACHE Pâte molle

Brie de Coulommiers

FROMAGE ARTISANAL OU LAITIER

Cette pâte molle est considérée par beaucoup comme l'ancêtre de tous les bries. Il ne faut donc pas la confondre avec le coulommiers, qui est aujourd'hui fabriqué dans de nombreuses régions françaises.
Le brie de Coulommiers, qui possède un arôme agréable et une odeur de moisi caractéristique, se déguste plutôt ferme que coulant.

Terroir : Seine-et-Marne.
Diamètre : 25 cm.
Épaisseur : 3 cm.
Poids : 1,3 kg.
Production : artisanale et laitière.
Lait : cru.

Côtes-du-Rhône.

VACHE Pâte molle, à croûte lavée

Crayeux de Roncq

FROMAGE FERMIER

Le crayeux de Roncq est fabriqué depuis une quinzaine d'années à la ferme du Vinage, par Thérèse-Marie Couvreur, dont le mari, Michel, est issu d'une famille qui travaille dans la production laitière ou fromagère depuis sept générations. Ce fromage est aujourd'hui considéré comme l'un des plus intéressants par de nombreux fromagers français. Sa croûte, lavée, abrite une pâte molle et crayeuse en son centre.

Terroir : Flandre.
Dimension : 10 cm de côté.
Épaisseur : 4,5 cm.
Poids : 300 g.
Production : fermière.
Lait : cru.

Bière blanche.

VACHE Pâte molle

Dauphin

FROMAGE ARTISANAL OU LAITIER

Selon la légende, le dauphin tiendrait son nom du seigneur du Dauphiné qui accepta, lors d'une visite dans le nord de la France en compagnie de Louis XIV, de baptiser ainsi ce fromage assaisonné de fines herbes qu'il apprécia tant.
Moulé en forme de cétacé ou de pain, le dauphin est un fromage à pâte molle. Fabriqué à partir d'une pâte fraîche de maroilles non affinée, il est assaisonné avec des fines herbes et des condiments. Affiné durant deux à quatre mois, il a une croûte lavée et humide, de couleur rouge brique. Il développe une saveur assez forte, au goût prononcé d'estragon et de girofle. Oublié pendant un quart de siècle, comme certains mets ou certains vins, le dauphin revient aujourd'hui à la mode.

Terroir : Flandre.
Épaisseur : 4 cm.
Poids : 300 g à 500 g.
Production : laitière ou artisanale.
Lait : pasteurisé ou cru.

Côtes-du-Rhône.

VACHE Pâte molle

Mignon

FROMAGE FERMIER

Dans la famille des maroilles, le mignon équivaut à un demi-fromage. D'un format plus plat, il s'affine différemment et devient plus moelleux et plus gras. Il est parfumé au genièvre par les fromagers du Nord. Comme le sorbais (lire p. 83), le mignon est un fromage à part entière. Il est néanmoins classé dans l'AOC des maroilles. C'est sans doute dommage, car il a ses propres particularités...

Terroir : Flandre.
Dimension : 12,5 cm de côté.
Épaisseur : 2,5 cm.
Poids : 400 g.
Production : fermière.
Lait : cru.

Châteauneuf-du-pape, bière brune.

VACHE Pâte molle

Maroilles ou marolles

FROMAGE FERMIER OU LAITIER - AOC

Le maroilles est un fromage monastique, né au VIIe siècle, qui a très vite remporté un vif succès. Philippe Auguste, saint Louis, Charles VI et François Ier l'appréciaient. Charles Quint en raffolait. Ce fromage à pâte molle arbore une croûte lavée rouge orangé. Il est moulé et salé en saumure. Après démoulage, il est déposé dans un séchoir ventilé, où il se couvre de moisissures, enlevées ensuite par frottage et lavage. Affiné en cave durant cinq à treize semaines, le maroilles a une pâte souple et onctueuse, un fort bouquet et une saveur corsée de terroir. Dans le Nord, on assure que c'est le plus fin des fromages forts. Fromage de plateau, à point de l'été à l'automne, il entre aussi dans la composition de recettes régionales, comme la flamiche ou la goyère, une tarte au fromage.

Terroir : le Nord et l'Aisne.
Dimension : pavé de 13 cm de côté.
Épaisseur : 6 cm.
Poids : 720 g.
Production : artisanale et laitière.
Lait : cru ou pasteurisé.

Châteauneuf-du-pape, cidre ou bière ambrée.

VACHE Pâte pressée

Terroir : Flandre.
Diamètre : 20 cm.
Épaisseur : 15 cm.
Poids : 2 kg à 3,5 kg.
Production : laitière.
Lait : pasteurisé.

Banyuls, bières fortes à 12 °C comme la belzébuth.

Mimolette
ou boule de Lille

FROMAGE LAITIER

Le terme de mimolette est tout simplement issu de mi-mou. Alors que les Hollandais pensent avoir inventé la mimolette, les Français du Nord considèrent qu'il s'agit d'un fromage typiquement hexagonal. Qu'importe ! La mimolette hollandaise n'a rien à voir avec la mimolette française ou boule de Lille. Appelé aussi "demi-vieux, vieux-gras, vieux cassant", ce fromage à pâte pressée, mi-dure à dure, et à croûte dure et cassante, peut se déguster à quatre stades d'affinage : soit jeune, après environ trois mois ; soit demi-vieux, au bout de six à huit mois ; soit vieux, au terme de douze à quatorze mois ; soit extra-vieux, après vingt à vingt-deux mois. Sa croûte naturelle est brossée régulièrement et tapée au maillet de bois. Elle prend une couleur orangée à marron clair, comme la pâte parsemée de petits trous lorsqu'elle vieillit.
Ce fromage de plateau peut aussi se râper pour la cuisine. Il se consomme toute l'année.

Boule dure et cassante, lorsqu'elle est bien affinée, la mimolette prend une couleur orangée à marron clair.

VACHE Pâte pressée

Monts des Cats
ou trappe de Bailleul

FROMAGE MONASTIQUE

Autrefois, on dégustait la trappe de Bailleul sur une tranche de pain beurrée, qu'on trempait dans du café ou de la chicorée, le matin. Fabriqué depuis un peu plus d'un siècle par les moines trappistes du mont des Cats, entre Lille et Dunkerque, ce fromage était alors vendu par les pères abbés, dans une "cabane" qui devint ainsi une destination de promenade dominicale...
Ce fromage à pâte pressée, mi-dure, est affiné deux mois en cave humide. Sa pâte est tendre, au goût léger et délicatement salé. Fromage de plateau, le monts des Cats se consomme surtout en été et en automne.

Terroir : monts des Cats (Nord).
Diamètre : 25 cm.
Épaisseur : 4 cm.
Poids : 2 kg.
Production : monastique.
Lait : pasteurisé.

Côtes-du-Rhône.

VACHE Pâte pressée

Terroir : Nord.
Dimensions : rectangle de 13 cm de large et de 27 cm de long.
Épaisseur : 8 cm.
Poids : 3 kg.
Production : artisanale et laitière.
Lait : pasteurisé.

Banyuls.

Pavé
de Roubaix

FROMAGE ARTISANAL

Le pavé de Roubaix fut longtemps aux ouvrières de l'industrie textile ce que fut la mimolette (plus affinée) aux riches tisserands. En voie de disparition, ce fromage à pâte pressée, demi-cuite et vieillie sur bois, est retourné et brossé à la main une fois par mois. Il est ensuite affiné pendant environ un an. Sa croûte est sèche et très dure. Elle renferme une pâte orange, chargée d'arômes.

VACHE Pâte molle

Rollot

FROMAGE FERMIER

De passage en Picardie, le Roi-Soleil eut l'occasion de déguster le rollot et l'apprécia tellement qu'il lui décerna le titre de "fromage royal". Sa réputation était telle qu'au XVIIIe siècle, les propriétaires de terres exigeaient fréquemment de leurs fermiers quelques-uns de ces fromages, en complément des fermages. Actuellement, un seul producteur perpétue la fabrication traditionnelle, dans son format rond d'origine. Certains laitiers avesnois le produisent en forme de cœur. Le rollot, qui tient son nom d'une petite localité picarde, est un fromage à pâte molle, dont la croûte lavée rappelle la couleur rouge brique des maisons de cette région. Son affinage dure un mois, au cours duquel il prend cette saveur particulière qui laisse en bouche un arrière-goût de sel. Sa pâte est de couleur ivoire. Ce fromage de plateau se déguste du printemps à l'automne.

Terroir : Picardie.
Diamètre : 7 cm à 8 cm.
Épaisseur : 3,5 cm.
Poids : 280 g à 300 g.
Production : fermière.
Lait : cru ou pasteurisé.

Sancerre ou cidre picard.

VACHE Pâte mi-dure

Saint-paulin

FROMAGE ARTISANAL OU LAITIER

Autrefois fabriqué par les moines de l'abbaye du même nom, le saint-paulin a été créé en Mayenne, avant de devenir un fromage traditionnel du Nord. Il existe en deux modèles, grand et petit.
Cette pâte mi-dure, pressée et non cuite, s'affine en deux à trois semaines. Sa croûte orange clair, fine et humide, est lavée. Sa pâte, blanche, développe une saveur à peine salée. Fromage de plateau, il se consomme toute l'année.

Terroir : Bretagne et Maine.
Diamètre : 13 cm ou 20 cm.
Épaisseur : 3 cm à 4,5 cm, ou 4 cm à 6 cm.
Poids : 500 g à 1,5 kg, ou 1,8 kg à 2 kg.
Production : artisanale ou laitière.
Lait : cru ou pasteurisé.

Bordeaux léger.

VACHE Pâte pressée

Saint-winoc

FROMAGE FERMIER

Le saint-winoc est, à l'origine, un fromage fabriqué par les moines de l'abbaye de Saint-Winoc, dans la région d'Esquelbecq. Actuellement, un seul producteur perpétue la tradition. De forme cylindrique, ce fromage à pâte pressée, mi-dure, est fabriqué en partie avec du lait écrémé. Brossée à la bière, sa croûte, légèrement humide, prend la couleur d'un coucher de soleil. Affinée pendant au moins trois semaines, sa pâte est souple au toucher et jaune clair. En fin d'affinage, le saint-winoc dégage une odeur relativement prononcée et un goût de lait mêlé de bière rappelant celui du bergues (lire p. 77).
C'est un fromage de plateau, qui peut se déguster toute l'année.

Terroir : Flandre.
Diamètre : 9 cm à 11 cm.
Épaisseur : 4 cm.
Poids : 300 g à 350 g.
Production : fermière.
Lait : cru, en partie écrémé.

Bière du Nord.

VACHE Pâte molle

Sorbais

FROMAGE FERMIER ET LAITIER

Dans la famille des maroilles, le sorbais est moins connu, mais il est tout aussi intéressant. Au lait de vache, ce fromage carré de 600 grammes change totalement de goût si l'on modifie sa forme.
Sa pâte est molle ; sa croûte, lavée, est rouge et brillante.
Il est affiné en cave humide pendant trois mois.
C'est un fromage de plateau.

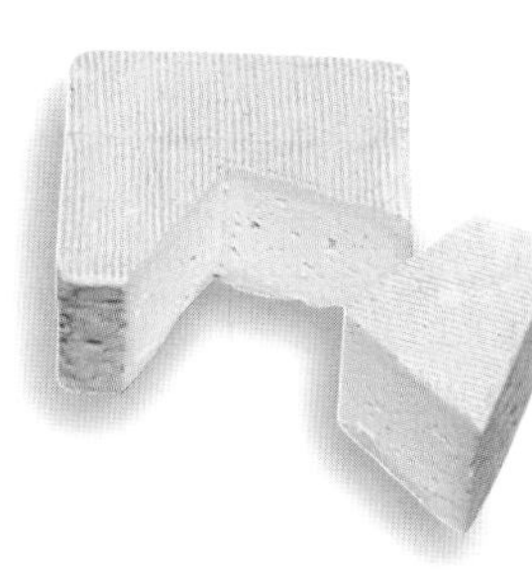

Terroir : Flandre.
Dimension : 20 cm de côté.
Épaisseur : 5 cm.
Poids : 600 g.
Production : fermière et laitière.
Lait : cru.

Côtes-du-Rhône.

VACHE Pâte pressée

Trappe de Belval

FROMAGE MONASTIQUE

Le belval a été créé par des religieuses venues de Laval, qui s'installèrent à Belval, à quelques kilomètres de Saint-Pol-sur-Ternoise, en 1892. Elles sont aujourd'hui quarante sœurs à le fabriquer, traitant ainsi plusieurs milliers de litres de lait par semaine. Le belval est un fromage à pâte pressée, un peu élastique, non cuite, et à croûte lavée. Il est affiné pendant un mois. Ce fromage prend le nom d'abbaye de Troisvaux, lorsqu'il est affiné sept à huit semaines à la bière trappiste.
Fromage de plateau, la trappe de Belval se consomme toute l'année.

Terroir : Flandre.
Poids : 2 kg.
Production : monastique.
Lait : pasteurisé.

Bière blanche du Nord.

VACHE Pâte pressée

Vieux-boulogne

FROMAGE ARTISANAL

Créé par un jeune fromager sur une idée de son confrère, Philippe Olivier, le vieux-boulogne est au fromage ce que le célèbre mouton dit de pré-salé est à la viande. Il est en effet réalisé avec du lait de vaches qui broutent dans les prés recouverts par la mer, au pied des caps Blanc-Nez et Gris-Nez. Ce fromage carré, à pâte pressée et à croûte humide, contient 45 % de matière grasse. Lavé à la bière de Saint-Léonard, il est affiné pendant sept semaines. Sa croûte devient rouge orangé et sa pâte, ivoire, est légèrement élastique. Il dégage une forte odeur qui évoque celle de la bière. Il se consomme toute l'année, en plateau.

Terroir : Boulonnais.
Côté : 11 cm.
Épaisseur : 4 cm.
Poids : 300 g à 500 g.
Production : artisanale.
Lait : cru.

Champagne.

VACHE Pâte molle

Terroir : Flandre.
Dimension : pavé de 13 cm de côté.
Épaisseur : 5 cm à 6 cm.
Poids : 700 g.
Production : artisanale et laitière.
Lait : cru ou pasteurisé.

Eau-de-vie de genièvre, bière du Nord.

Vieux-gris-de-Lille ou gris-de-Lille

FROMAGE ARTISANAL OU LAITIER

Connu aussi sous le nom de "puant de Lille" ou "puant macéré", ce fromage est une pâte de maroilles macérée qui fut fort appréciée de Nikita Khrouchtchev, lors de son passage à Lille en 1960. Le vieux-gris-de-Lille était aussi le fromage préféré des mineurs de fond. Macéré dans un pot en terre, il prenait alors le nom de "fromage fort de Béthune". Salé deux fois, sans croûte, il affiche une surface collante. Son affinage dure entre cinq et six mois, à l'issue desquels il prend un goût un peu piquant. Son odeur est très forte.
Fromage de plateau ou de casse-croûte, il se consomme toute l'année.

Le vieux-gris-de-Lille est une pâte de maroilles macérée et salée deux fois lors de son affinage, qui dure entre cinq et six mois.

Gratin briard
au brie de Meaux

Dans du beurre, faites fondre de l'ail finement haché et 100 grammes de brie de Meaux sans croûte.
Faites bouillir le lait, la crème et ajoutez les pommes de terre coupées en fines rondelles. Portez à ébullition, et déposez le tout dans un plat à gratin. Versez le brie de Meaux fondu et coiffez avec le reste de fromage coupé en copeaux. Laissez cuire 15 minutes. Servez avec une volaille ou du gibier.

Les ingrédients
1/4 de litre de lait entier.
1/4 de litre de crème liquide.
1,5 kg de pommes de terre.
4 gousses d'ail.
500 g de brie de Meaux.

Flamiche
au maroilles

Prenez le fromage et émiettez-le grossièrement à la main. Ajoutez le sel, le sucre, les œufs, la farine, la levure. Pétrissez la pâte, qui doit être ferme. Moulez en forme de couronne. Faites cuire à four chaud, jusqu'à ce que la brioche soit bien dorée.

Les ingrédients
350 g de maroilles.
250 g de farine.
1 verre de lait.
1 œuf.
10 g de levure de boulanger.
30 g de beurre.

Boule de Lille
en timbale

Préparation et cuisson : 40 minutes.
Les ingrédients pour huit à dix personnes :
1 boule de Lille entière (mimolette).
1 tranche de jambon blanc d'1 cm d'épaisseur environ.
250 g de coquillettes.
Un peu de ciboule ou de ciboulette.
2 grosses cuillerées à soupe de beurre.
Du sel.

Coupez un couvercle aux 3/4 de la hauteur de la boule ; creusez-la (utilisez un couteau courbe à évider les pamplemousses ou une cuillère à soupe à bord effilé). Réservez la moitié de ce fromage, le reste sera utilisé pour d'autres recettes. Vous devez obtenir un “récipient” en fromage épais de 2 cm environ. Pendant que vous faites cuire les pâtes à l'eau bouillante salée, coupez le jambon en gros dés ; hachez un peu de ciboulette et râpez les 200 g de fromage réservés. Faites chauffer le beurre dans une poêle. Ajoutez les coquillettes bien égouttées, le jambon, le fromage râpé et la ciboulette hachée. Faites sauter quelques instants. Remplissez le fromage évidé avec la moitié de cette préparation ; enveloppez-le (sauf au-dessus) de papier aluminium. Faites gratiner une première fois sous le grilloir du four préchauffé durant 10 mn. Retirez du four, achevez de remplir le fromage avec le reste du contenu de la poêle ; faites gratiner et servez après avoir débarrassé le fromage du papier.

Menaces
sur les fromages au lait cru

Victimes de normes d'hygiène trop sévères de l'Union européenne, les fromages au lait cru sont menacés de disparaître. Et, avec eux, de nombreux petits producteurs...

Aujourd'hui, les fromagers affineurs, qui proposent essentiellement des fromages fermiers ou artisanaux, s'inquiètent des normes d'hygiène draconiennes imposées par l'Union européenne aux fabricants de fromages au lait cru. Appliquées à la lettre, elles provoqueraient la disparition, d'ici à deux ou trois ans, de nombreux fromages de petite fabrication, représentatifs de nos terroirs. Certains producteurs ont déjà arrêté leur production, ne pouvant pas financer les investissements rendus obligatoires.

Pourtant, cette "guerre" menée au lait cru ne semble pas fondée. La pasteurisation du lait tue en effet les bactéries : les mauvaises comme les bonnes, qui protègent le fromage dans sa phase de maturation. Selon Xavier, fromager à Toulouse, « *la listériose n'est pas tant un problème de lait cru ou pasteurisé que d'hygiène. Le lait cru est d'ailleurs un meilleur garant de la qualité microbiologique que le lait pasteurisé.*
En pasteurisant le lait, on lui enlève, en effet, sa capacité d'auto-défense.
À ma connaissance, il n'existe pas de cas de listériose dû aux vacherins au lait cru, alors que des problèmes ont été constatés avec des fromages similaires, fabriqués à base de lait pasteurisé, dans des ateliers suisses. Aux États-Unis, où toute la production est pasteurisée, on enregistre même, chaque année, dix fois plus d'intoxications qu'en France, pour une population donnée. Avec d'autres fromagers, j'ai donc décidé de me battre. Une pétition, lancée dès 1992, en faveur du lait cru, a déjà recueilli plus deux millions de signatures ».

Fromage au lait cru de vache, le mont d'or ou vacherin du haut Doubs est l'une des trente-cinq appellations d'origine contrôlée.

La coopérative laitière des Entremonts, en Chartreuse, réunissant trente-deux exploitations, fabrique des tommes au lait cru, du gruyère de montagne et du mont granier, vendus directement au magasin de la coopérative (ci-contre, à l'alpage du Charmant Som).

L'Ouest

avec P. Beillevaire, fromager à Machecoul

NORMANDIE - BRETAGNE - VAL DE LOIRE
ET POITOU-CHARENTES

C'est à l'Ouest – des rives de la Manche jusqu'à celles de l'océan Atlantique, en passant par la région Centre et les Pays de la Loire – qu'on trouve le plus grand nombre de fromages d'appellation d'origine contrôlée. Citons le neufchâtel, le pont-l'évêque, le chabichou, ou encore le crottin de Chavignol... Affineur installé à Machecoul, en Loire-Atlantique, Pascal Beillevaire édite « La Transhumance », une lettre mensuelle dans laquelle il transmet toute sa passion des fromages.

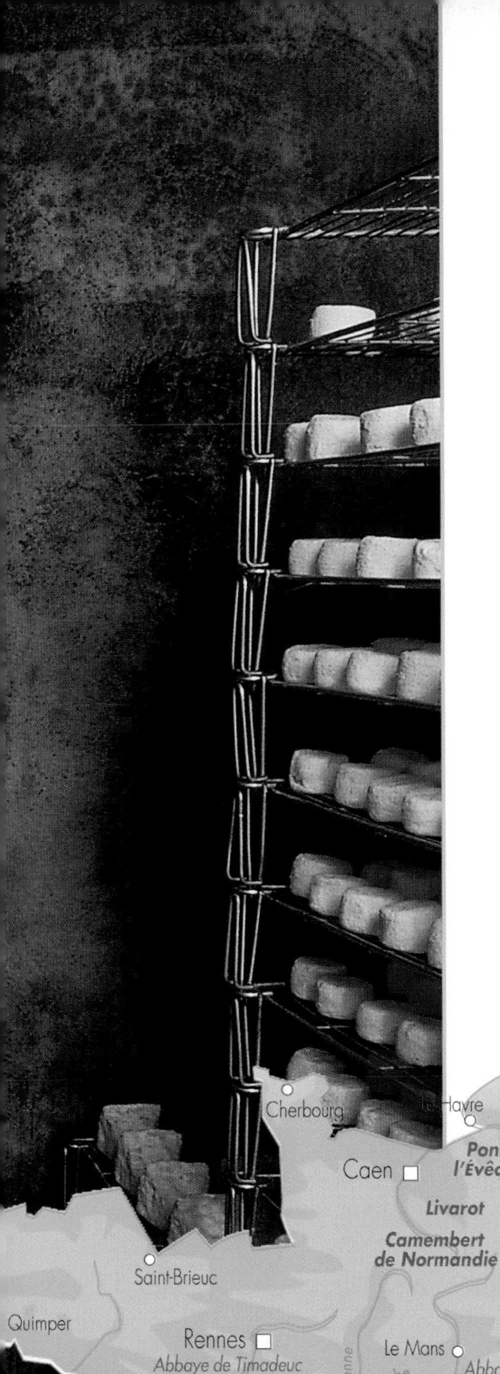

Deux parcours gustatifs

De la pigouille à l'abbaye de Timadeuc

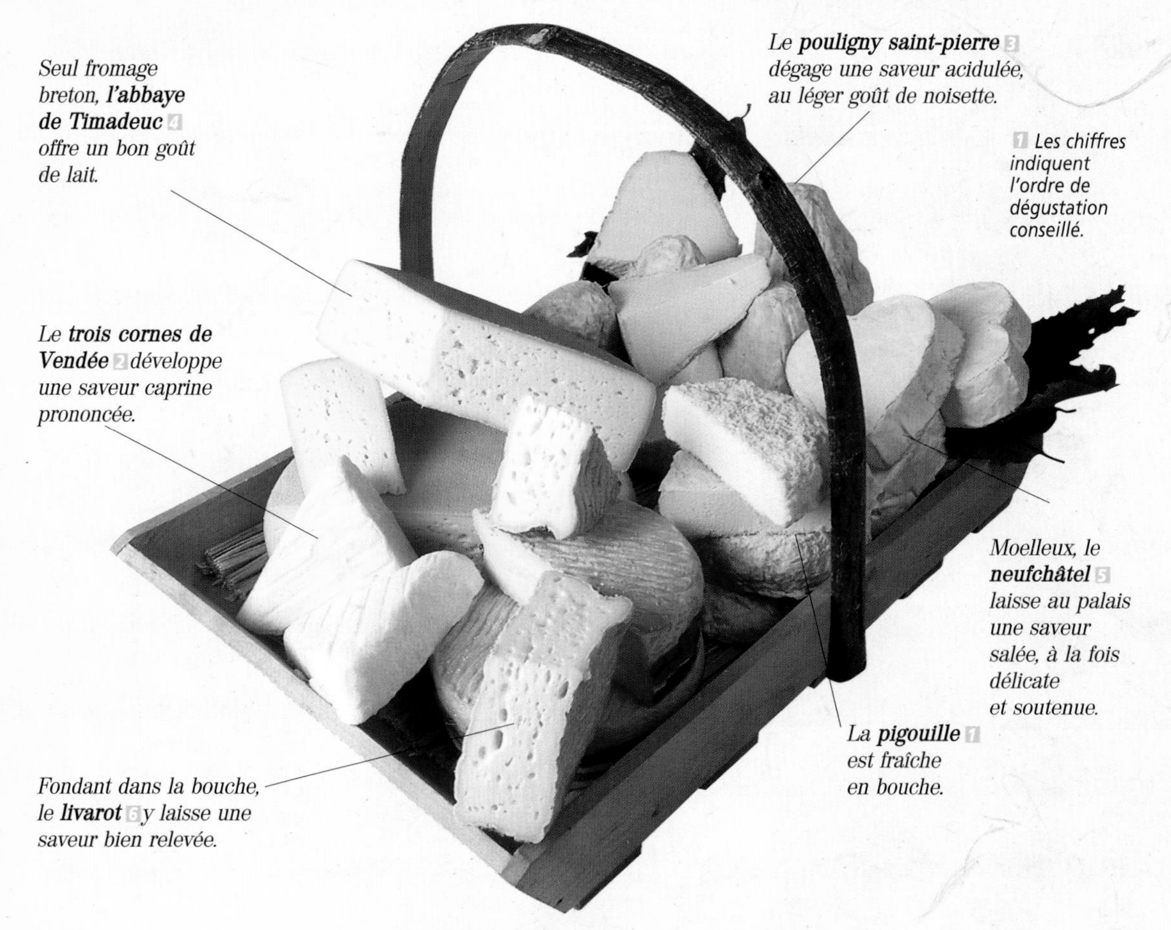

Seul fromage breton, ***l'abbaye de Timadeuc*** 4 *offre un bon goût de lait.*

Le ***pouligny saint-pierre*** 3 *dégage une saveur acidulée, au léger goût de noisette.*

1 *Les chiffres indiquent l'ordre de dégustation conseillé.*

Le ***trois cornes de Vendée*** 2 *développe une saveur caprine prononcée.*

Moelleux, le ***neufchâtel*** 5 *laisse au palais une saveur salée, à la fois délicate et soutenue.*

La ***pigouille*** 1 *est fraîche en bouche.*

Fondant dans la bouche, le ***livarot*** 6 *y laisse une saveur bien relevée.*

Bonde de Gâtine, olivet et creux de Beaufou

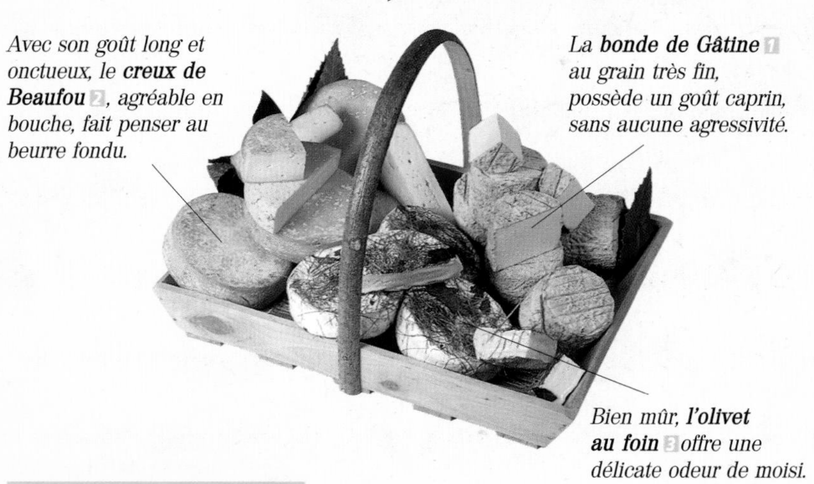

Avec son goût long et onctueux, le ***creux de Beaufou*** 2*, agréable en bouche, fait penser au beurre fondu.*

La ***bonde de Gâtine*** 1 *au grain très fin, possède un goût caprin, sans aucune agressivité.*

Bien mûr, ***l'olivet au foin*** 3 *offre une délicate odeur de moisi.*

« Avec le beurre breton et neuf fromages d'appellation d'origine contrôlée, l'Ouest est la région laitière par excellence. »

Bonnes adresses

La Bergerie, halles Châtelet, 45000 Orléans.
Ferme Sainte-Marthe, 19, rue Saint-Jean, 79000 Niort.
Fromagerie Pascal Beillevaire, rue Contrescarpe, 44000 Nantes.
Fromagerie Dominique Desserre, 2, rue Marceau, 37000 Tours.

VACHE **Pâte pressée**

Abbaye de la Coudre

FROMAGE MONASTIQUE

Ce fromage, à pâte pressée, non cuite, est affiné par les sœurs de l'abbaye de la Coudre, située près de Laval.
Durant quatre à six semaines, il est lavé en saumure et compte parmi les nombreux descendants du port-du-salut, aujourd'hui disparu. Très fin, c'est un excellent fromage de plateau, qui fond en bouche.

Terroir : Bretagne.
Diamètre : 8 cm.
Épaisseur : 2,5 cm.
Poids : 300 g.
Production : monastique.
Lait : pasteurisé.

Gamay de Touraine ou Muscadet millésimé.

VACHE **Pâte pressée**

Abbaye de Timadeuc

FROMAGE MONASTIQUE

L'abbaye de Timadeuc est le seul fromage breton authentique. Il est produit par des moines à partir du troupeau de l'abbaye. C'est également l'un des descendants du port-du-salut. Il se rapproche aussi beaucoup du saint-paulin.
Ce fromage, à pâte pressée, non cuite, est couvert d'une croûte lavée. Il s'affine durant deux à trois semaines, pendant lesquelles sa croûte fine et humide devient jaune orangé. Sa pâte est tendre, délicatement salée, au goût assez prononcé. Fromage de plateau, il se déguste toute l'année.

Terroir : Morbihan.
Diamètre : 20 cm.
Épaisseur : 2 cm à 3 cm.
Poids : 1,7 kg.
Production : monastique.
Lait : pasteurisé.

Gamay de Touraine, Anjou rouge.

CHÈVRE **Pâte molle**

Bonde de Gâtine

FROMAGE LAITIER

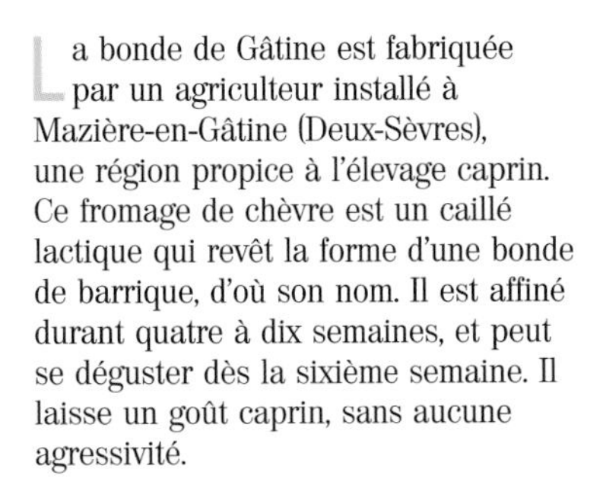

La bonde de Gâtine est fabriquée par un agriculteur installé à Mazière-en-Gâtine (Deux-Sèvres), une région propice à l'élevage caprin. Ce fromage de chèvre est un caillé lactique qui revêt la forme d'une bonde de barrique, d'où son nom. Il est affiné durant quatre à dix semaines, et peut se déguster dès la sixième semaine. Il laisse un goût caprin, sans aucune agressivité.

Terroir : Deux-Sèvres.
Diamètre : 4 cm à 5 cm.
Épaisseur : 5 cm à 6 cm.
Poids : 140 g à 160 g.
Production : laitière.
Lait : cru.

Haut Poitou ou vins blancs du fief vendéen.

CHÈVRE **Pâte non pressée**

Bouchon de Sancerre

FROMAGE FERMIER

En forme de bouchon, ce fromage est une spécialité du Sancerrois. Compagnon du vigneron, il a toutes les caractéristiques du crottin de Chavignol. Au cours d'un affinage qui peut durer plusieurs mois, le bouchon de Sancerre se couvre d'une fine croûte naturelle parsemée de moisissure blanche ou bleue.
Sa pâte, non pressée et non cuite, est blanc cassé à ivoire.
Un peu salé, ce fromage de casse-croûte est le résultat d'un savant équilibre entre acidité et douceur.

Terroir : Sancerrois.
Longueur : 4 cm.
Épaisseur : 1,5 cm.
Poids : 80 g.
Production : fermière.
Lait : entier.

Sancerre.

VACHE **Pâte molle**

Brillat-savarin

FROMAGE LAITIER

Originaire de Normandie, ce fromage porte le nom d'un célèbre gastronome et homme politique de la fin du XVIIIe siècle, Jean-Anthelme Brillat-Savarin. Il est aussi fabriqué en Bourgogne. Au lait de vache enrichi de crème, il s'affine durant trois à quatre semaines, et se couvre alors d'un beau duvet blanc. Si l'affinage est poursuivi plus longtemps, quelques pointes orange apparaissent sur la croûte. Affiné, ce fromage développe beaucoup de goût ; frais, il est très onctueux mais possède peu de saveur. Il se consomme toute l'année.

Terroir : Normandie et Bourgogne.
Diamètre : 12 cm à 13 cm.
Épaisseur : 3,5 cm à 4 cm.
Poids : 450 g à 500 g.
Production : laitière.
Lait : enrichi de crème.

Ce fromage, qui a peu de caractère, a la particularité de mettre en valeur tous les vins.

Cabri de Parthenay

FROMAGE FERMIER

Ce fromage de chèvre est fabriqué dans les Deux-Sèvres, département où les bêtes gambadent souvent parmi les pommiers. Caillé lactique, le cabri de Parthenay est doté d'une belle croûte cendrée. Selon l'affinage (de quatre à cinq semaines), celle-ci passe du cendré noir au bleu. Le cabri de Parthenay possède un goût caprin doux et très fin.

Terroir : Deux-Sèvres.
Diamètre : 4 cm.
Épaisseur : 2 cm.
Poids : 180 g.
Production : fermière.
Lait : cru.

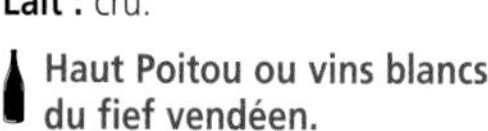

Camembert de Normandie

FROMAGE LAITIER OU FERMIER - AOC

En 1680, les archives du village de Camembert mentionnaient déjà la fabrication d'un fromage sur ce territoire. Mais le camembert que nous dégustons aujourd'hui aurait été inventé sous la Révolution, par Marie Harel. Aidée des conseils d'un prêtre réfractaire, qu'elle cachait dans sa ferme, elle aurait mis au point, en 1791, un fromage original qui tenait à la fois de l'ancien camembert et du fromage de Brie. C'est en 1880 que l'ingénieur Ridel eut l'idée d'emballer le camembert dans une boîte de bois mince, pour faciliter son transport.
Le camembert de Normandie est un fromage à égouttage spontané, obtenu par caillage à la présure. Il est ensuite moulé à l'aide d'une louche, séché dans un hâloir et salé. Son affinage dure au moins vingt et un jours, pendant lesquels il est retourné toutes les quarante-huit heures. Sa croûte se couvre alors d'un léger duvet blanc pigmenté de rouge, et sa surface est légèrement striée. Sa pâte, souple, sans mollesse et non coulante, est blanche à jaune clair et sa saveur, fruitée.
Le camembert se déguste de l'été à l'hiver, en fin de repas. Il peut également être servi en croquettes ou en canapés.

Terroir : Normandie.
Diamètre : 10,5 cm à 11,5 cm.
Épaisseur : 3 cm.
Poids : 250 g.
Production : laitière et fermière.
Lait : cru.

Beaujolais, Saint-Émilion, Saint-Esthèphe, cidre bouché.

Chabichou du Poitou

FROMAGE FERMIER - AOC

Selon la légende, le chabichou du Poitou était fabriqué par les Sarrasins jusqu'à leur départ, après leur défaite à Poitiers en 732, face à Charles Martel. "Chabi" serait dérivé de "chebli", qui signifie chèvre en arabe. Ce fromage à pâte molle est fabriqué exclusivement à partir de lait de chèvre entier rapidement mis à emprésurer. Le caillé est moulé à la louche, dans des moules tronconiques appelés "bondes", dont le fond est incrusté des trois lettres "C.D.P." Durant l'affinage, qui dure dix jours dans un hâloir, sa croûte devient blanche, teintée de gris bleu. Sa pâte est ferme, parfois cassante. Doux et onctueux, il procure une délicate sensation crémeuse. Ce fromage de début ou de milieu de plateau, se déguste du printemps à l'automne.

Terroir : haut Poitou.
Diamètre : 5 cm à 6 cm.
Épaisseur : 6 cm.
Poids : 150 g.
Production : fermière et laitière.
Lait : entier.

Vin du haut Poitou.

Tirant sa forme d'un moule tronconique, la bonde, le chabichou du Poitou prend une couleur blanche teintée de gris bleu, après dix jours d'affinage en hâloir.

CHÈVRE Pâte tendre

Couhé-vérac

FROMAGE FERMIER

Ce fromage de chèvre de forme carrée est originaire de la région de Poitiers. Sa pâte est tendre, non pressée et non cuite. Enveloppé d'une feuille de châtaignier, le couhé-vérac est affiné pendant trois à quatre semaines. Sa croûte naturelle est parsemée de moisissures et il se déguste bien moelleux. Légèrement gras, il possède un goût caprin prononcé et une saveur relevée, au goût de noisette et de châtaigne. Ce fromage, de début ou de milieu de plateau, se consomme du printemps à l'automne.

Terroir : Poitou.
Côté : 6 cm.
Épaisseur : 1,5 cm.
Poids : 250 g à 280 g.
Production : fermière.
Lait : cru.

Haut Poitou.

VACHE Pâte pressée

Creux de Beaufou

FROMAGE FERMIER

Ce fromage vendéen est issu du lait de petites vaches originaires de l'île de Jersey. Elles produisent peu, mais leur lait est très riche en matière grasse. C'est ce qui donne au creux de Beaufou un goût long et onctueux. Sa pâte, d'une belle couleur jaune paille, est très agréable en bouche et dégage un goût proche du beurre fondu. Fromage de fin de plateau, le creux de Beaufou se déguste toute l'année.

Terroir : Vendée.
Diamètre : 10 cm.
Épaisseur : 2 cm.
Poids : 500 g.
Production : fermière.
Lait : cru.

Anjou rouge, Chinon.

CHÈVRE **Pâte non pressée**

Crottin de Chavignol

FROMAGE LAITIER OU FERMIER - AOC

Depuis le XVIe siècle, les paysans du Sancerrois élèvent des chèvres et fabriquent des fromages qui constituent leurs principales ressources. C'est en 1829 que ces fromages prirent le nom de crottin de Chavignol. À l'origine, le crottin était une petite lampe en terre cuite, dont le fromage a pris la forme.
Le crottin de Chavignol est réalisé avec du lait de chèvre très faiblement emprésuré et, le plus souvent, à chaud. Le caillé est préégoutté sur une toile, puis déposé, à l'aide d'une louche, dans des faisselles. Son affinage dure au moins quinze jours, pendant lesquels il est fréquemment retourné. Le crottin de Chavignol développe une croûte à fleur blanche ou bleue, et sa coupe doit être lisse. Frais, il pèse environ 140 grammes ; après quinze jours, quand sa croûte commence à bleuir, son poids ne dépasse guère 110 grammes. Au bout de cinq semaines, son odeur forte et sa pâte bien ferme et homogène prouvent qu'il est à cœur. Certains amateurs préfèrent attendre jusqu'à quatre mois avant de le déguster ; il vaudra mieux alors gratter la croûte.
Le crottin de Chavignol dégage une petite odeur caprine, et sa saveur, légère au printemps, est plus prononcée à l'automne. Dégusté en fin de repas, il se consomme onctueux ou très sec. On peut aussi le faire macérer dans du vin blanc. Il entre dans la composition de nombreuses recettes.

Terroir : Cher, Loiret, Nièvre.
Diamètre : 4 cm à 5 cm.
Épaisseur : 3 cm à 4 cm.
Poids : 40 g à 140 g.
Production : artisanale et laitière.
Lait : entier.

Sancerre blanc.

VACHE **Pâte molle**

Curé nantais

FROMAGE LAITIER

Introduit en pays nantais, à la Révolution, par un moine savoyard venu prêter main-forte aux vendéens, ce fromage était à l'origine de forme circulaire.
Cette pâte molle, qui peut également porter le nom de “fromage du pays nantais”, présente une croûte lisse et humide. Percée de petits trous, elle laisse un goût bien prononcé.

Terroir : pays nantais.
Dimension : 9 cm de côté.
Épaisseur : 3 cm.
Poids : 200 g.
Production : laitière.
Lait : cru.

Muscadet.

CHÈVRE **Pâte molle**

Ile d'Yeu

FROMAGE FERMIER

L'île d'Yeu est fabriqué par madame Dupont, sur l'île dont il porte le nom. Sa production, modeste, ne pourra se développer, compte tenu du territoire de l'île qui s'étend sur quatre kilomètres de large et six de long.
De forme tronconique, l'île d'Yeu est cendré et se déguste moelleux. Son goût caprin est un peu iodé. On peut également le laisser couler sous la croûte, ce qui le rend plus fort.

Terroir : île d'Yeu.
Diamètre : 2 cm.
Longueur : 7 cm.
Poids : 220 g.
Production : fermière.
Lait : cru.

Vin blanc de Brême.

VACHE **Pâte molle**

Dreux à la feuille

FROMAGE ARTISANAL

Ce fromage, à pâte molle et à croûte fleurie, est fabriqué dans l'Eure. Très faible en matière grasse, c'est un authentique fromage, à basses calories, très apprécié des paysans à l'heure du casse-croûte.
En forme de galette, le dreux à la feuille vieillit sous une feuille de châtaignier. Affiné durant deux à trois semaines, il développe une croûte fleurie, qui devient peu à peu rouge ou brune. La feuille de châtaignier laisse à ce fromage un petit goût de moisissure.
Sa saveur prononcée en fait un excellent fromage de fin ou de milieu de plateau.

Terroir : Eure.
Diamètre : 12 cm à 13 cm.
Épaisseur : 2 cm.
Poids : 300 g.
Production : artisanale.
Lait : cru ou pasteurisé.

Chinon, Bordeaux, Saint-Émilion.

VACHE **Pâte molle**

Livarot

FROMAGE ARTISANAL OU LAITIER - AOC

Surnommé "la viande de l'ouvrier", le livarot était consommé à Paris dès la fin du XVIIe siècle. Corneille lui-même vanta ses qualités. Ce fromage connut son heure de gloire au XIXe siècle, lorsqu'il devint le fromage de Normandie le plus consommé. En 1877, quatre millions et demi de livarots étaient ainsi affinés par deux fromagers. Son surnom de "colonel" provient des cinq brins de jonc, appelés "laîches", dont il est ceint (au lieu de papier, comme c'est trop souvent l'usage).
Le livarot est un fromage à pâte molle et à croûte lavée. Affiné en cave pendant un mois environ, il est retourné plusieurs fois, lavé au moins trois fois et salé sur toute sa surface. Sa croûte devient bien lisse et brillante, de couleur brun rouge à brun foncé. Sa pâte est fine, élastique, et pèse sur la langue. Elle fond dans la bouche et dégage une saveur relevée. Fromage de plateau, le livarot se déguste du printemps à l'hiver. Il peut également constituer un excellent en-cas.

Terroir : pays d'Auge.
Diamètre : 12 cm.
Épaisseur : 5 cm.
Poids : 350 g à 500 g.
Production : artisanale et laitière.
Lait : cru ou pasteurisé.

Pommard ou Calvados.

CHÈVRE **Pâte molle**

Mothais à la feuille

FROMAGE FERMIER

Ce chèvre à la pâte tendre, non pressée et non cuite, arbore une croûte naturelle d'un beau blanc crayeux.
Le mothais à la feuille est affiné sur une feuille de châtaignier, qui régule son taux d'humidité. Cet affinage dure trois ou quatre semaines, dans une cave sèche et ventilée. Il est retourné une fois par semaine. Sa pâte fondante, au goût délicat, est protégée par une croûte collante.

Terroir : Poitou.
Diamètre : 7 cm.
Épaisseur : 1,5 cm.
Poids : 220 g.
Production : fermière.
Lait : cru.

Sauvignon blanc, Haut Poitou, Muscadet.

Deux sortes de chèvres

Dans l'histoire des techniques fromagères liées aux fromages de chèvre, deux grandes méthodes s'affrontent : la première, dite "lactique", obtient un caillage grâce à l'action des ferments lactiques au bout de 24 heures au moins ; la seconde fait appel à un ajout de présure pour réduire de quelques heures ce processus de transformation. La France du Nord, dominée par la culture lactique, s'est ainsi toujours opposée à la Provence, qui a très tôt adopté la "culture présure". Déjà au XVe siècle, pour s'attirer les bonnes grâces du roi René, on lui offrait *« de ces petits fromages mous, des "présures" ».* Aujourd'hui, rien n'a véritablement changé.

VACHE **Pâte molle**

Neufchâtel

FROMAGE FERMIER,
ARTISANAL OU LAITIER - AOC

Le neufchâtel est le plus ancien fromage normand. On trouve sa trace dès 1035. Sa forme en cœur serait née d'une fraternisation entre l'occupant anglais et les jeunes filles de la région. Celles-ci allaient en effet offrir un fromage en forme de cœur, le jour de la Saint-Valentin, à l'élu de leur choix. Pour les hommes d'église, le neufchâtel représenterait les deux ailes d'un ange. Cette pâte molle, recouverte d'une croûte fleurie, est "vaccinée" par l'introduction de fromage frais émietté, puis malaxée jusqu'à l'obtention d'une parfaite homogénéité. Elle est ensuite moulée en brique, bonde, bondon, bondard, double bonde (forme cylindrique), ou en forme de cœur de Forges ou de Neufchâtel, puis salée. Le choix du format permet de modifier le caillage du lait, donc d'intervenir sur le goût du fromage. Fraîche et non salée, la pâte de neufchâtel prend le nom de gournay et se déguste comme un petit suisse.
L'affinage en cave s'étend de dix jours à deux semaines, pendant lesquelles la peau du fromage devient duveteuse et blanche. Sa pâte, lisse et moelleuse, offre une saveur délicate quoique soutenue. Le neufchâtel, toujours salé au palais, dégage une légère odeur de moisissure.
Ce fromage de plateau se déguste de l'été à l'automne. Il peut aussi être utilisé dans des préparations culinaires.

Terroir : pays de Bray.
Six formes différentes : bonde cylindrique, double bonde, carré, briquette, cœur, gros cœur.
Production : fermière, artisanale et laitière.
Lait : cru ou pasteurisé.

Saint-Émilion, cidre bouché.

La pâte molle du neufchâtel, recouverte d'une croûte fleurie, est moulée en forme de cœur, de brique ou de bonde (forme cylindrique), avant d'être salée.

VACHE **Pâte molle**

Olivet cendré et olivet au foin

FROMAGE ARTISANAL

Fabriquée à Olivet, sur les rives du Loiret, cette pâte molle, non pressée et non cuite, est un fromage artisanal. Traditionnellement consommé comme casse-croûte par les paysans, l'olivet est cendré ou conservé dans de la paille, à l'intérieur de coffres en bois. Issu d'un lait particulièrement riche, l'olivet mûrit lentement, jusqu'à ce que sa pâte dégage une légère odeur de moisi.

Terroir : Loiret.
Diamètre : 8 cm.
Épaisseur : 3 cm.
Poids : 250 g.
Production : artisanale.
Lait : cru.

Orléanais.

CHÈVRE **Pâte tendre**

Pavé blésois

FROMAGE FERMIER

De forme rectangulaire tronquée, le pavé blésois, à pâte tendre, non pressée et non cuite, est couvert d'une croûte naturelle, cendrée au charbon de bois. Il s'affine durant deux à quatre semaines, selon qu'on le préfère sec ou moelleux. Le pavé blésois est doté d'un délicat goût caprin.

Terroir : Blois.
Longueur : 7 cm.
Largeur : 4 cm.
Épaisseur : 2,5 cm.
Poids : 250 g.
Production : fermière.
Lait : cru.

Vins de la Loire.

BREBIS **Pâte tendre**

Pigouille

FROMAGE FERMIER

Fabriqué sur l'île d'Oléron, le pigouille est un caillé lactique. C'est l'un des rares fromages de brebis de cette région. Il a pris le nom de la perche qui sert à pousser les embarcations du Marais poitevin. Affiné durant quatre à cinq semaines, le pigouille est un fromage d'été, frais et acidulé.

Terroir : île d'Oléron.
Diamètre : 7 cm.
Épaisseur : 2 cm.
Poids : 200 g.
Production : fermière.
Lait : cru.

Rosé vendéen.

VACHE **Pâte molle**

Pithiviers au foin

FROMAGE LAITIER

Créée à Bondaroy, à côté d'Orléans, cette pâte molle est parfois appelée "bondaroy au foin". Autrefois fabriqué seulement l'été, le pithiviers était alors conservé dans le foin jusqu'à l'automne, et se dégustait au moment des vendanges. Désormais disponible toute l'année, il a perdu de son parfum, même si sa croûte blanche exhale toujours la même odeur de moisi.

Terroir : vendômois.
Diamètre : 12 cm.
Épaisseur : 2,5 cm.
Poids : 300 g.
Production : laitière.
Lait : pasteurisé.

Sancerre.

VACHE **Pâte molle**

Pont-l'évêque

FROMAGE LAITIER OU FERMIER - AOC

Le pont-l'évêque tire son nom de la petite ville où il a vu le jour, entre Deauville et Lisieux. Il fut sans doute créé par des moines dès le XIIe siècle, sous le nom d'angelot. Au XVIe siècle, son nom est transformé en "augelot" pour partir à la conquête de la capitale. Au XVIIe siècle, un amateur normand lui rend ainsi hommage : *« L'augelot est fait avec tant d'art que, jeune ou vieux, il n'est que crème. »* Le fromage ne prendra son nom actuel qu'à la fin du XVIIe siècle. Fabriqué avec trois litres de lait acide, le pont-l'évêque est caillé, découpé, brassé, malaxé, puis mis dans un moule de forme carrée. Il est salé le cinquième jour. Son affinage s'étend sur deux semaines. Lavée, sa croûte s'humidifie et prend une couleur ocre. Sa pâte devient alors crémeuse, jaune, de consistance fine et lisse. Le pont-l'évêque développe une saveur prononcée de terroir, qui ne doit être ni trop forte ni trop douce. C'est l'un des fromages français les plus menacés, faute d'une production de qualité. Aux jeunes agriculteurs normands de relever le défi... Il peut aussi être dégusté en en-cas ; il est conseillé d'enlever la croûte. Fromage de plateau, le pont-l'évêque existe en "version double" : le pavé d'Auge.

Terroir : Normandie.
Dimension : 10 cm à 11 cm de côté.
Épaisseur : 3 cm.
Poids : 350 g à 400 g.
Production : fermière et laitière.
Lait : cru ou pasteurisé.

Bourgueil, Pomerol, Volnay ou cidre bouché.

Pouligny saint-pierre

FROMAGE LAITIER OU FERMIER - AOC

Surnommé "tour Eiffel", en raison de sa forme pyramidale, le pouligny saint-pierre est né dans la vallée de la Brenne. Ce territoire berrichon bénéficie d'un microclimat exceptionnel, à l'influence océanique marquée (hivers doux).
Les chèvres alpines, au poil ras et marron, qui y sont élevées produisent un lait riche et parfumé aux senteurs de lande et de sainfoin.
Le pouligny saint-pierre est un fromage à pâte tendre, non pressée et non cuite, fabriqué à partir de lait emprésuré.
Le caillé est ensuite versé à la louche, dans des moules en forme de pyramide tronquée et percés de trous. Après égouttage, démoulage et salage, le pouligny saint-pierre est mis à sécher sur des claies ou des paillons. Son affinage dure de deux à cinq semaines, pendant lesquelles il développe une croûte naturelle, fine et bleutée. De couleur ivoire, la pâte de ce chèvre est ferme, mais non dénuée de souplesse.
Le pouligny saint-pierre offre une légère odeur caprine, agrémentée de paille.
Une saveur acidulée s'en dégage, suivie d'un goût de noisette.
Il se déguste d'avril à octobre. Frais, il peut être découpé en petits cubes et dégusté avec une salade assaisonnée d'un peu d'huile de noix, ou encore chaud sur des toasts. Affiné, c'est un excellent fromage de plateau.

Terroir : Indre.
Dimension : tronc de pyramide à base carrée, de 9 cm.
Épaisseur : 12,5 cm.
Poids : 250 g.
Production : fermière ou laitière.
Lait : entier.

Reuilly ou Sancerre.

Fromage à pâte tendre, le pouligny saint-pierre s'affine deux à cinq semaines sur des paillons.

Sainte-maure de Touraine

FROMAGE LAITIER OU FERMIER - AOC

Terroir : Touraine.
Diamètre : 4,8 cm.
Épaisseur : 2,8 cm.
Poids : 250 g.
Production : fermière et laitière.
Lait : entier.

Gamay de Touraine, Chinon rouge.

La fabrication du sainte-maure de Touraine remonterait, selon les archives d'Indre-et-Loire, à l'époque carolingienne (VIIIe et IXe siècles) et aux invasions arabes dont il tirerait son nom. Balzac en parlait en ces termes : *« Le plus connu reste celui de sainte-maure, de forme longue, avec une paille à l'intérieur. Fabriqué avec le lait de chèvre caillé à la présure, salé, affiné, il est conservé dans la cendre des javelles de sarments, les boubines. La paysanne le garde à la ferme, sur des claies de bois, dans un endroit sec. »*
Toujours fabriqué de cette même façon, ce fromage à pâte molle, non cuite, prend sa forme dans des moules tronconiques. Après le démoulage, une longue paille est insérée en son cœur, afin de consolider et d'aérer cette bûchette relativement fragile. L'affinage du sainte-maure de Touraine dure au moins dix jours, pendant lesquels sa croûte naturelle, fine et régulière, se couvre de moisissures superficielles. Sa pâte est ferme et homogène, et dégage une légère odeur caprine et un goût noisetté.
Ce fromage se consomme de mars à novembre, en plateau, à l'apéritif, ou rôti au four, sur des toasts.

Affiné au moins dix jours, le sainte-maure de Touraine se couvre de moisissures superficielles.

CHÈVRE **Pâte tendre**

Selles-sur-cher

FROMAGE LAITIER OU FERMIER - AOC

Le selles-sur-cher apparaît dans des écrits à partir de 1887. Cependant, il semblerait qu'il existe depuis bien plus longtemps au sud de la Loire où, depuis des siècles, les chèvres broutent le long des bocages. Ce fromage, à pâte tendre, non pressée et non cuite, est obtenu à partir de lait additionné d'une faible quantité de présure. Après avoir été moulé, le selles-sur-cher est salé et cendré, par pulvérisation de poudre de charbon de bois mélangée à du sel. Son affinage s'étend sur une période de dix jours à trois semaines, pendant laquelle sa croûte naturelle devient bleu foncé, contrastant ainsi avec sa pâte blanc pur. Ferme et très fine, celle-ci fond dans la bouche en dégageant une agréable saveur noisettée et légèrement acidulée.
Fromage de plateau, le selles-sur-cher peut également être servi à l'apéritif.

Terroir : Loir-et-Cher, Indre et Cher.
Diamètre : 9,5 cm.
Épaisseur : 2,5 cm à 3 cm.
Poids : 150 g.
Production : fermière et laitière.
Lait : entier.

Touraine blanc, Chinon ou Bourgueil rouge.

Il se déguste du printemps à l'automne. Les vrais amateurs ne grattent surtout pas sa croûte, qui lui donne tout son caractère.

Moulé, le selles-sur-cher est salé, puis cendré par pulvérisation de charbon de bois mélangée à du sel, avant d'être affiné entre dix jours et trois semaines.

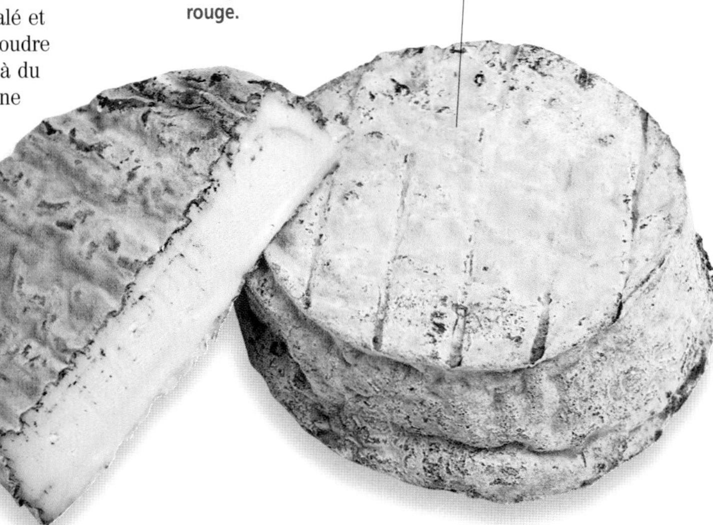

CHÈVRE **Pâte tendre**

Taupinière des Charentes

FROMAGE FERMIER

Fabriqué dans la région d'Angoulême, ce fromage à pâte tendre a la forme d'une taupinière. Son grain est très fin et sa croûte naturelle est légèrement cendrée au charbon de bois.
La taupinière des Charentes offre un goût caprin délicat.
Ce fromage de début de plateau se marie merveilleusement avec un pinot noir.

Terroir : Angoulême.
Base : 4 cm.
Épaisseur : 4 cm.
Poids : 300 g.
Production : fermière.
Lait : cru.

Pinot noir.

VACHE, CHÈVRE OU BREBIS **Pâte molle**

Tricorne de Marans

FROMAGE FERMIER

Produit près de la ville côtière de Marans, ce fromage fermier possède un goût légèrement aigre-doux. Toujours issu de lait de brebis, le tricorne de Marans peut se déguster frais ou affiné pendant quelques jours.

Terroir : Marans.
Diamètre : 8 cm.
Épaisseur : 3 cm.
Poids : 250 g.
Production : fermière.
Lait : cru.

Sancerre.

CHÈVRE **Pâte tendre**

Terroir : Vendée.
Dimension : 6 cm de côté.
Épaisseur : 1 cm.
Poids : 180 g.
Production : fermière.
Lait : cru.

Vin rouge de Pissotte.

Trois cornes de Vendée

FROMAGE FERMIER

Ce fromage de chèvre, à pâte non pressée et non cuite, en forme de triangle, doit son nom à ses trois pointes qui évoquent trois cornes. À l'origine, le trois cornes de Vendée était fabriqué dans le le sud de la Vendée, à Chaillé-des-Marais. Il en avait disparu, avant de renaître il y a trois ou quatre ans, grâce à la ténacité d'un agriculteur épris de tradition. Moelleux et gras, il se pigmente légèrement de bleu après trois à quatre semaines d'affinage. Son goût caprin prononcé en fait un fromage de fin de plateau apprécié.

CHÈVRE **Pâte molle**

Terroir : Touraine.
Diamètre : 7 cm.
Épaisseur : 4 cm.
Poids : 250 g.
Production : fermière ou laitière.
Lait : cru ou pasteurisé.

Saumur.

Valençay

FROMAGE FERMIER OU LAITIER - AOC

Conformément à l'appellation d'origine contrôlée, qui lui a été reconnue par un décret du 13 juillet 1998, le valençay est un *« fromage au lait de chèvre, à pâte molle, en forme de pyramide tronquée, affiné et présentant une croûte fleurie, de couleur gris clair à gris bleuté ».*
Selon la légende, cette "forme de pyramide tronquée" serait due à Bonaparte. À son retour d'Égypte, en visite au château de Valençay, le général aurait en effet coupé, d'un coup de sabre, la pointe de ce fromage qui lui rappelait les pyramides égyptiennes.
Fabriqué à partir d'un caillé mixte à dominante lactique, le valençay peut provenir du lait des quatre dernières traites. Le moulage s'effectue par reprise directe du caillé non émietté, et sans aucune pression. Affiné pendant sept jours au moins, le valençay ne peut être commercialisé que s'il présente une croûte formée, fleurie de moisissures superficielles et facilement visibles à l'œil nu.

Issu d'un caillé mixte, le valençay, de forme pyramidale tronquée, s'affine durant sept jours au moins, sa croûte étant alors parsemée de moisissures.

Tourte au crottin
de Chavignol

Dans un saladier, battez deux œufs entiers, la crème fraîche et les fromages préalablement râpés. Versez le mélange dans un moule où sera disposée une partie de la pâte. Recouvrez le tout avec la pâte restante. Soudez les bords de la tourte et dorez-la avec le jaune d'œuf. Laissez cuire à four moyen. Dégustez chaud.

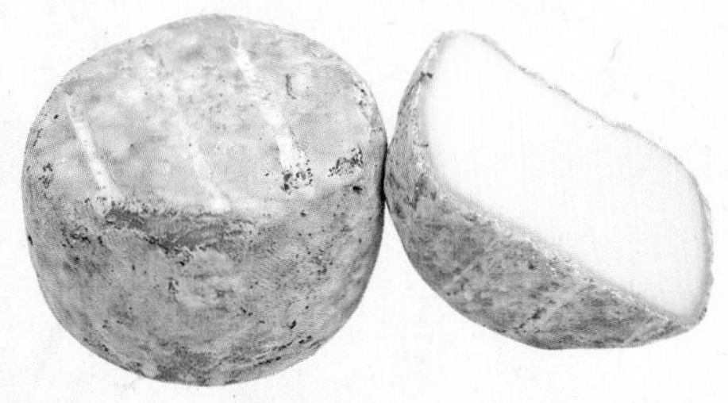

Les ingrédients
2 œufs entiers.
1 jaune d'œuf.
3 crottins de Chavignol secs.
200 g de crème fraîche.
Du sel.
Du poivre.

Croque-monsieur
au neufchâtel

Beurrez les tranches de pain de mie sur les deux faces et tartinez-les de neufchâtel sur un seul côté. Disposez-les dans un plat allant au four. Ajoutez une demi-tomate, quelques olives, des fines herbes, du sel et du poivre. Mettez au four une dizaine de minutes. Servez chaud.

Les ingrédients :
4 tranches de pain de mie.
30 g de beurre.
2 tomates.
100 g de neufchâtel.
Des olives.

Mille-feuilles normand
à la sauce aux herbes

Abaissez la pâte et divisez-la en seize rectangles de taille égale (à peu près 10 cm x 5 cm). Faites-les cuire en une vingtaine de minutes dans le four préchauffé, réglé sur thermostat 7 (230 °C). Retirez la croûte du fromage, détaillez-le en lamelles. Disposez des lamelles de fromage sur les morceaux de pâte feuilletée. Chaque mille-feuille doit comporter quatre morceaux de pâte cuite, entre lesquels se trouvent trois étages de fromage. Dorez la dernière feuille de pâte au jaune d'œuf un peu étendu d'eau et remettez au four, jusqu'à ce que le fromage commence à couler et le feuilleté du dessus à dorer. Pendant ce temps, faites bouillir la crème avec du jus de citron, retirez du feu lorsque l'ébullition est très nette, montez au beurre en fouettant, salez, poivrez et ajoutez les fines herbes ciselées. Nappez les assiettes de sauce et placez un mille-feuille bien chaud sur chacune d'elles.

Préparation :
1 quart d'heure
Cuisson : 1 demi-heure.

Les ingrédients pour quatre personnes :
300 g de pâte feuilletée prête à cuire.
1 pont-l'évêque ou 1 camembert juste à point.
200 g de beurre.
1 petit pot de crème fraîche épaisse.
De la ciboulette.
De l'estragon.
Du cerfeuil.
1 citron.
Du sel.
Du poivre.

Le Sud-Ouest

avec X. Bourgon, Gabriel Bachelet et Jean d'Alos

AQUITAINE, MIDI-PYRÉNÉES ET LANGUEDOC-ROUSSILLON

D'une rive à l'autre – celle de l'Atlantique et celle de la Méditerranée – les Pyrénées marquent leur territoire de quelques fromages aux noms connus : ossau iraty, bethmale ou barousse...
À peine plus au nord, nous voici déjà au pays du roquefort et du rocamadour. Pour vous présenter ce riche Sud-Ouest, trois mousquetaires du fromage : Xavier Bourgon, à Toulouse, Gabriel Bachelet, à Pau, et Jean d'Alos, à Bordeaux. Membres du Cercle des fromagers, tous trois sont d'ardents défenseurs des fromages au lait cru.

Limoges
Trappe d'Échourgnac
Périgueux
Isle
Bordeaux
Dordogne
Brive-la-Gaillarde
Bergerac
Garonne
Gramat
Rocamadour
Laguiole
Cahors
Lot
LANDES
Chevrion
Gayrie
Rodez
Brique du bas Quercy
Bouyssette
Ségalou
Pélardon des Cévennes
Agen
Aveyron
Bleu des Causses
Mont-de-Marsan
Bouton d'oc
Millau
Gastanberra
Goutte
Pavé de la Ginestarié
Albi
Roquefort
Tommette du Pays basque
Adour
CÉVENNES
Cabécou des mineurs
Tarn
Bayonne
Abbaye de Bellocq
Greuilh
Auch
Pérail
Pas de l'Escalette
Pau
Saint-Nicolas de la Dalmerie
Ardi-gasna fermier du Pays basque
Gasconnades
Toulouse
Cœur de Félix
Tarbes
Cathare
Ossau iraty
Brebis des Pyrénées
Nabouly d'en haut
Rieumoise
Cabardès
Carcassonne
Aude
Ariège
Barousse
Narbonne
Moulis
Anneau du Vic-Bilh
Bethmale
Foix
Galette du val de Dagne
Fleury du col des Marousses
Doux de Montagne
Tommette des Corbières
Perpignan
50 km

Roquefort	Appellation d'origine contrôlée
Ségalou	Autre fromage

Deux parcours gustatifs

Du pas de l'Escalette à l'anneau de Vic-Bilh

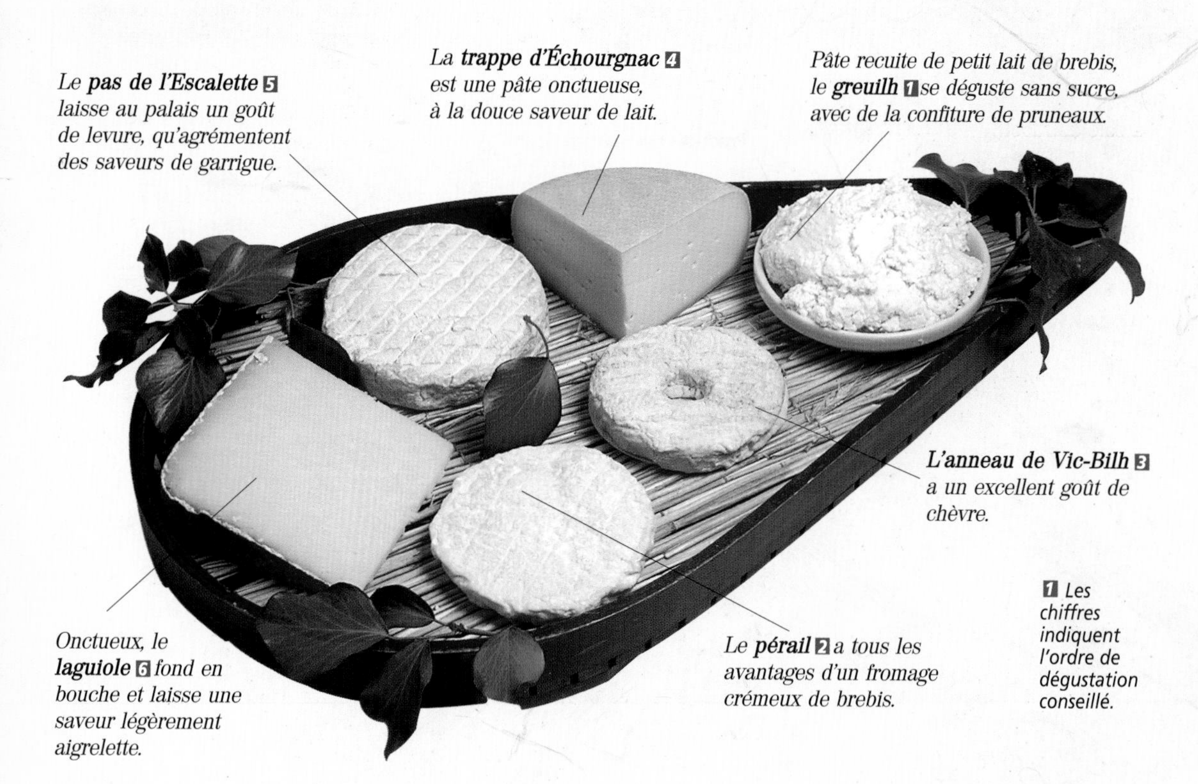

Le ***pas de l'Escalette*** 5 *laisse au palais un goût de levure, qu'agrémentent des saveurs de garrigue.*

La ***trappe d'Échourgnac*** 4 *est une pâte onctueuse, à la douce saveur de lait.*

Pâte recuite de petit lait de brebis, le ***greuilh*** 1 *se déguste sans sucre, avec de la confiture de pruneaux.*

L'anneau de Vic-Bilh 3 *a un excellent goût de chèvre.*

Onctueux, le ***laguiole*** 6 *fond en bouche et laisse une saveur légèrement aigrelette.*

Le ***pérail*** 2 *a tous les avantages d'un fromage crémeux de brebis.*

1 *Les chiffres indiquent l'ordre de dégustation conseillé.*

Rocamadour, roquefort, ossau...

Le roquefort 3 *: un bouquet particulier et une délicate odeur de moisissure.*

La pâte ferme du ***bethmale*** 2 *: une saveur acidulée.*

Le rocamadour 1 *: une saveur fondante et moelleuse et un goût de chèvre.*

Dégageant une nette saveur de brebis, ***l'ossau*** 4 *se déguste avec de la confiture de cerises noires d'itxassou.*

> *« Un fromage identique n'aura pas le même goût à Toulouse et à Pau, chaque fromager lui apportant une touche particulière. »*

Bonnes adresses

Jean d'Alos, 4, rue Montesquieu, 33000 Bordeaux.
Gabriel Bachelet, 24, rue du Maréchal-Joffre, 64000 Pau.
La ferme périgourdine, 9, rue Limogeanne, 24000 Périgueux.
Xavier Bourgon, 6 place Victor-Hugo, 31000 Toulouse.

BREBIS Pâte pressée

Abbaye de Bellocq

FROMAGE LAITIER

Non, ce fromage n'est pas un fromage monastique. Mais s'il est fabriqué dans une laiterie, c'est tout à côté de l'abbaye, où il est d'ailleurs longuement affiné dans une cave sèche. C'est ce qui lui confère son aspect rustique. Il possède une pâte ferme et onctueuse, mais un goût assez standard.

Terroir : Pays basque.
Longueur : 25 cm.
Épaisseur : 11 cm.
Poids : 5 kg.
Production : laitière.
Lait : pasteurisé entier.

Bordeaux sec.

DÉFENDRE LA TRADITION

Créée par Pierre Androuet, célèbre fromager parisien, la Guilde des fromagers réunit plus de deux mille membres, professionnels ou simples amateurs. Le Cercle des fromagers, en revanche, ne rassemble que douze affineurs : neuf en France, deux en Belgique et un au Canada. Cette instance est fondée sur la défense des fromages au lait cru (lire page 18). Cette association, où l'on entre par cooptation et dont la présidence est collégiale et tournante, réunit des professionnels désireux d'échanger leur savoir et de mettre en avant des producteurs respectueux de la fabrication traditionnelle.

CHÈVRE Pâte molle

Anneau de Vic-Bilh

FROMAGE FERMIER

L'anneau de Vic-Bilh est l'un de ces fromages récents, créés par de jeunes producteurs qui ont quitté la ville pour s'installer à la campagne. Disposant de peu d'argent, au départ, ils ont surtout cherché à réaliser des produits de qualité et trouvé des relais chez les fromagers de la région, qui, en les aidant, ont conscience de participer à la lutte contre la désertification des campagnes pyrénéennes. Un dicton ariégeois ne dit-il pas que, par ici, *« les corbeaux volent sur le dos pour ne pas voir la misère »*...
Ce fromage au lait de chèvre, fait à la main, est percé en son centre. De la famille des pâtes molles, il est affiné durant dix jours au moins. Sa croûte naturelle est enrobée de charbon de bois pulvérisé. Sa pâte, blanche et moelleuse, possède un goût parfaitement équilibré, entre sel et acidité. Fromage de plateau, il se déguste du printemps à l'automne.

Terroir : Pyrénées.
Diamètre : 10 cm.
Épaisseur : 2 cm.
Poids : 200 g à 250 g.
Production : fermière.
Lait : cru.

Vin blanc sec (Pacherenc du Vic-Bilh).

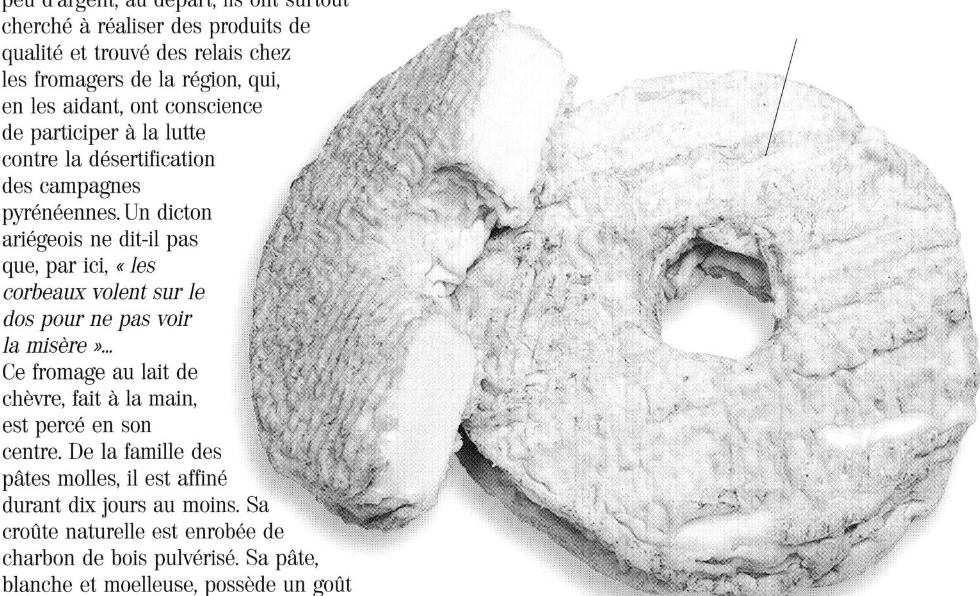

Sa croûte naturelle, enrobée de charbon de bois pulvérisé, dissimule une pâte blanche et moelleuse.

BREBIS Pâte pressée

Ardi-gasna

FROMAGE FERMIER

Vrai fromage de brebis du Pays basque, l'ardi-gasna se présente sous des formats variables, selon les vallées et les quantités de lait produites. Affiné durant quatre mois au moins par brossage, il possède une pâte longuement égouttée. Ce fromage, parfaitement apte au vieillissement (un an ou plus), est en pleine renaissance, sous l'impulsion des fermiers basques. D'une grande finesse de goût, il s'apprécie accompagné de confiture de cerises noires : l'Itxassou.

Terroir : Pays basque.
Longueur : 19 cm.
Épaisseur : 7 cm.
Poids : 3 kg.
Production : fermière.
Lait : cru entier.

Madiran.

VACHE Pâte pressée

Barousse

FROMAGE FERMIER

Le barousse est issu d'une vallée très fermée, la Barousse de l'Ourse, qui a développé une tradition fromagère depuis des décennies. Sa production est limitée, bien qu'il soit fabriqué par plusieurs familles. Ce fromage de vache à pâte pressée, non cuite, mi-dure et élastique, est agrémenté de nombreux petits trous. Il est fabriqué de manière traditionnelle, et sa surface est polie aux braises. Il est ressuyé (égoutté) directement à feu doux. Affiné durant au moins un mois et demi, il est retourné tous les jours pendant les deux premières semaines d'affinage. Le barousse développe une croûte brun rosé et une odeur prononcée. Son goût évoque les pâturages de printemps ou le fourrage, selon la période de production et l'alimentation des vaches. Il se consomme toute l'année, en casse-croûte.

Terroir : Pyrénées.
Diamètre : 19 cm.
Épaisseur : 7 cm.
Poids : 2 kg.
Production : fermière.
Lait : cru.

Madiran.

VACHE Pâte molle

Terroir : Ariège.
Diamètre : 25 cm à 40 cm.
Épaisseur : 8 cm à 10 cm.
Poids : 3,5 kg à 6 kg.
Production : fermière.
Lait : cru.

Vin rouge moyen (Frontonnais).

Bethmale

FROMAGE FERMIER

Le bethmale est un fromage produit dans le comté de Foix, une région enclavée des Pyrénées. Une légende lui est attaché : quand, au XIVe siècle, les Maures, sous la conduite de leur chef Boabdil, occupaient la vallée de Bethmale, le fils du chef séduisit la plus jolie fille du pays, nommée Esclarys. Or, Esclarys était promise au pâtre Darnert, qui s'était retranché dans la montagne avec ses compagnons pour organiser une contre-offensive. Un matin, le berger déracina deux jeunes noyers et y tailla une paire de sabots en forme de croissant de lune, dont les extrémités se relevaient en pointes fines, aiguës comme des dards. Les bergers s'armèrent et livrèrent un rude combat contre les Maures, qu'ils exterminèrent. Ils vinrent ensuite défiler dans le village. Le berger Darnert chaussa ses sabots. Au bout de chacune des pointes, deux cœurs étaient transpercés : celui du prince maure et celui de la belle Esclarys. On dit qu'il est encore de tradition, le soir de Noël, que le fiancé offre à sa belle une paire de sabots à longues pointes et, qu'en échange, elle lui remette un tricot de laine de pays et une bourse empanachée de rubans et de paillettes. Ce qui est sûr, en tout cas, c'est que le bethmale est le fleuron des tommes au lait cru de l'Ariège. Ce fromage particulièrement doux au lait de vache est une pâte pressée, que l'on affine durant deux à six mois. Lavée et retournée chaque jour, elle développe une croûte naturelle orangé clair. Ferme mais onctueuse, elle a un goût soutenu où se retrouve, pour le bonheur du palais, la dualité sucré-acidulé. Ce fromage de plateau se consomme toute l'année, en toute occasion, avec des pains rustiques.

VACHE Pâte persillée

Bleu des Causses

FROMAGE ARTISANAL OU LAITIER - AOC

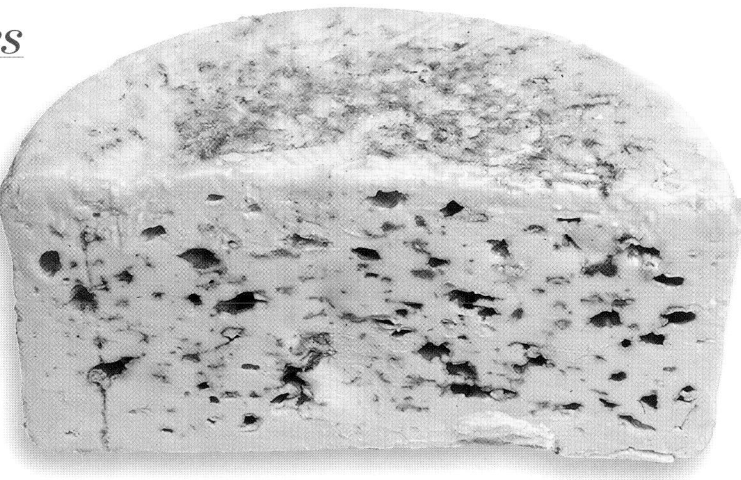

Le bleu des Causses provient de la même région que le roquefort. De tout temps, des laiteries-fromageries artisanales ont prospéré dans ce pays de landes et de rocailles au climat rude et contrasté, où le lait s'enrichit du parfum des plantes sauvages. Avant 1928, ce fromage était fabriqué à partir de lait de vache et de brebis, mais aujourd'hui, seul le lait de vache entier est utilisé. C'est une pâte persillée, caillée à chaud à l'aide de présure, puis découpée, brassée et déposée dans des moules percés de trous. Après ensemencement au pénicillium et égouttage, le fromage est salé et brossé, puis piqué avec des aiguilles. L'affinage dure entre trois et six mois, en caves naturelles appelées "fleurines", creusées dans des éboulis calcaires. Exposées au nord et parcourues de courants d'air frais et humide, elles tiennent leur nom de la "fleur" du fromage, qui s'y développe. Aujourd'hui principalement fabriqué en laiteries, le bleu des Causses, offre, l'été, une pâte moyennement veinée de bleu, de couleur ivoire, luisante. En hiver, la pâte est plus blanche, moins humide. Onctueuse et grasse, elle possède une saveur soutenue, vivace, un goût de beurre et une odeur agréable.
Le bleu des Causses se déguste toute l'année, en fin de repas. Mais il agrémente aussi parfaitement les omelettes ou les crêpes. Il peut enfin relever agréablement une viande grillée.

Terroir : Aveyron, Lot, Lozère, Gard et Hérault.
Diamètre : 20 cm.
Épaisseur : 8 cm à 10 cm.
Poids : 2,3 kg à 3 kg.
Production : artisanale ou laitière.
Lait : cru.

Cahors, Cornas.

CHÈVRE Pâte molle

Bouton d'Oc

FROMAGE FERMIER

Percé d'un brin de paille, le bouton d'Oc se caractérise par sa forme conique, qui évoque une poire.
Ce chèvre à pâte molle, non pressée, non cuite, est affiné entre dix jours et un mois. Il développe une croûte naturelle et une pâte fine, à la saveur agréable.
Ce petit fromage se déguste du printemps à l'automne, à l'apéritif.

Terroir : Pyrénées.
Diamètre : 3 cm à la base.
Épaisseur : 3,5 cm.
Poids : 15 g.
Production : fermière.
Lait : cru.

Gaillac ou vin blanc sec, léger.

VACHE Pâte molle, fleurie

Bouyssette

FROMAGE FERMIER

En forme de triangle, ce fromage de dix centimètres de côté est légèrement ressuyé pour un affinage court, pendant lequel sa croûte se garnit d'un duvet d'"odium lactis" jaune pâle. Son goût de lait sera d'autant plus affirmé que sa pâte sera souple et onctueuse.

Terroir : Rouergue.
Section triangulaire de 10 cm.
Épaisseur : 1,5 cm.
Poids : 120 g.
Production : fermière.
Lait : cru et entier.

Marcillac.

BREBIS Pâte molle

Brique du bas Quercy

FROMAGE FERMIER

Ce fromage allongé, en forme de brique, ressemble beaucoup au pérail par sa texture et son goût (lire page 113). À point, il est couvert d'un petit duvet blanc appelé "odium lactis".

Ce doux fromage, en forme de brique, laisse en bouche un bon goût de brebis.

Terroir : Rouergue.
Longueur : 15 cm.
Épaisseur : 2 cm à 3 cm.
Poids : 80 g à 120 g.
Production : fermière.
Lait : cru entier.

Saint-Chinian.

CHÈVRE Pâte molle

Cabardès

FROMAGE FERMIER

Fromage de grande qualité gastronomique, le cabardès fleure bon la garrigue que parcourent les troupeaux. Sa pâte, légèrement cendrée, est meilleure demi-sèche à sèche, pour son goût caprin, délicat et développé.

Terroir : Aude.
Diamètre : 6 cm.
Épaisseur : 7 cm.
Poids : 150 g.
Production : fermière.
Lait : cru entier.

Vin blanc sec de Malvoisie.

CHÈVRE Pâte molle

Cabécou du fel

FROMAGE FERMIER

Le cabécou du fel ressemble beaucoup au rocamadour (voir page 113), mais il est un peu plus épais et sensiblement plus piquant. Ce fromage à pâte molle est fabriqué à partir de lait de chèvre entier et cru, emprésuré à chaud. Affiné pendant une dizaine de jours au moins, il est parfait lorsque sa peau se recouvre de pénicillium bleu.
Il se déguste de juin à septembre, en fin de repas.

Terroir : Quercy.
Diamètre : 6 cm.
Épaisseur : 2 cm à 3 cm.
Poids : 50 g.
Production : fermière.
Lait : cru et entier.

Vin blanc sec, Cahors.

VACHE Pâte molle

Cabécou des mineurs

FROMAGE FERMIER

Dans la région de Decazeville, ce "cabécou" de vache reste longtemps enrobé de feuilles de noyer ou de platane, puis il est trempé dans du vin, où il macère. Peu à peu, sa pâte, en s'imprégnant, devient marron clair, et développe une saveur et une odeur très fortes, voire boucanées.
Le cabécou des mineurs se consomme toute l'année, en fin de repas. Il est à conseiller aux amateurs de fromage de grand caractère.

Terroir : Aveyron.
Diamètre : 2 cm à 3 cm.
Épaisseur : 1 cm à 1,5 cm.
Poids : 30 g.
Production : fermière.
Lait : cru.

Gaillac, Bergerac, Cahors.

CHÈVRE Pâte molle

Cathare

FROMAGE FERMIER

Ce chèvre, de la région du lauragais, rappelle son terroir par une croix occitane, inscrite sur la face principale de son disque plat et cendré. Il se couvre d'odium légèrement duveté, et sa pâte se lie très rapidement pour présenter une texture lisse, fine, avec un goût caprin très affirmé. Ceux qui aiment cette force le choisiront tendre plutôt que demi-sec, et ceux qui apprécient ses saveurs de lait le consommeront bien frais.

Terroir : Lauragais.
Diamètre : 15 cm.
Épaisseur : 1,5 cm.
Poids : 200 g.
Production : fermière.
Lait : cru entier.

Vin blanc sec du Tarn, Gaillac perlé.

La très belle croix occitane, gravée sur la croûte de ce disque plat, distingue ce fromage de chèvre, dont la saveur caprine s'affirme au fur et à mesure de l'affinage.

CHÈVRE Pâte molle

Chevrion

FROMAGE FERMIER

Ce chèvre du nord de la Gascogne, de forme tétraèdre, est légèrement cendré. Le léger pénicillium qui s'y développe sous-tend un affinage lent, permettant le développement d'un goût caprin, sans agressivité. Original, ce fromage de plateau s'adapte aussi bien aux vins blancs que rouges, et se déguste volontiers lors de "mâchons" conviviaux.

Terroir : Agenais.
Triangle de 8 cm d'arête.
Poids : 230 g.
Production : fermière.
Lait : cru entier.

Duras rouge, frais.

CHÈVRE Pâte molle

Cœur de Saint-Félix

FROMAGE FERMIER

Ce petit chèvre en forme de cœur possède une croûte comme le rocamadour (voir page 113). Les palais délicats le préféreront moelleux. Fromage de fête, fromage de rendez-vous, véritable trait d'union d'un plateau, c'est un fromage unique.

Terroir : Lauragais.
Formé d'un petit cœur de 5 cm.
Épaisseur : 1 cm.
Poids : 30 g.
Production : fermière.
Lait : cru entier.

Rosé frontonnais.

VACHE Pâte pressée

Doux de montagne

FROMAGE FERMIER

Fabriqué à la limite de la Haute-Garonne et de l'Ariège, le doux de montagne a la particularité d'être issu d'une race de vache alpine, la brune des Alpes. Rustique, mais sans acidité, il a un goût légèrement sucré.
Ce fromage à pâte pressée est de la famille du bethmale (voir page 104). Il s'affine entre deux et cinq mois, et se déguste en toute saison, en fin de repas ou en casse-croûte.

Terroir : Haute-Garonne, Ariège.
Diamètre : 25 cm à 30 cm.
Épaisseur : 5 cm à 7 cm.
Poids : 2 kg à 3 kg.
Production : fermière.
Lait : cru.

Gamay de Gaillac.

CHÈVRE Pâte molle

Fleury du col des Marousses

FROMAGE FERMIER

Fabriqué au pied du col des Marousses, ce fromage évoque un camembert carré. Le fleury du col des Marousses est un chèvre au lait cru, à pâte molle, fleurie, non pressée, non cuite, affinée pendant quarante-cinq jours. Son goût est relevé, sans aucune agressivité.
Fromage de plateau, il se consomme du printemps à l'automne.

Terroir : Pyrénées.
Carré de 7 cm de côté.
Épaisseur : 2 cm.
Poids : 200 g.
Production : fermière.
Lait : cru entier.

Bordeaux.

BREBIS Pâte molle, fleurie

Galette du val de Dagne

FROMAGE FERMIER

Cette pâte molle, coulante, est un disque plat. Affinée par lavage au début, puis par simple brossage, elle possède un goût fin et très doux. Ce fromage est parfait – même moelleux lorsque l'affinage est plus poussé – pour accompagner les vins, lors de dégustations.

Terroir : Corbières.
Diamètre : 25 cm.
Épaisseur : 3 cm.
Poids : 1 kg.
Production : fermière.
Lait : cru entier.

Corbières léger et vin blanc sec, liquoreux.

CHÈVRE Pâte molle

Gasconnades

FROMAGES FERMIERS

Ces tous petits fromages se présentent sous forme de boules aromatisées au cumin, au paprika, aux baies roses, aux herbes de Provence, au sésame. Ces produits très astucieux, de création récente, agrémentent l'apéritif, par leurs couleurs et leurs goûts aromatiques.

Terroir : Gers.
Diamètre : 2 cm.
Épaisseur : 1 cm.
Poids : 5 g.
Production : fermière.
Lait : cru entier.

Vin blanc sec ou Banyuls.

BREBIS fromage frais

Gastanberra

LAIT EMPRÉSURÉ

En basque, "gastanberra" signifie "caillé de brebis". Ce dessert frais au lait de brebis est vendu sur les marchés, dans des terrines en grès consignées. Il dégage une agréable saveur ovine.

Terroir : Pays basque.
Pots en grès.
Production : fermière.
Lait : chauffé.

Irouléguy.

BREBIS Pâte molle

La Gayrie

FROMAGE FERMIER

C'est un cousin germain du pérail (lire page 113), mais il est plus gros. Son goût ovin, délicat, témoigne du fait que les troupeaux parcourant les Causses ne connaissent pas la stabulation. Sans acidité, ce fromage se prête volontiers à tous types de dégustations et d'assemblages. Il est toujours le bienvenu sur un plateau, même affiné, lorsque la pâte rappelle le suint des brebis. Il est alors conseillé de le déguster en retirant la croûte.

Terroir : Rouergue.
Diamètre : 15 cm.
Épaisseur : 1,5 cm.
Poids : 250 g.
Production : fermière.
Lait : cru entier.

Marcillac ou vin blanc du fel.

Ce caillé de brebis est un dessert frais, qui dégage une agréable odeur ovine.

CHÈVRE Pâte molle, fleurie

Goutte

FROMAGE FERMIER

Ce chèvre, moulé au torchon et légèrement cendré, est en forme de goutte d'eau. Frais en été, il laisse percer un goût de lait prononcé. Il se consomme à différents stades de l'affinage, selon la puissance de goût recherchée.

Colombard de Gascogne.

Terroir : Agenais.
Diamètre : 6 cm.
Épaisseur : 8 cm.
Poids : 220 g à 250 g.
Production : fermière.
Lait : cru entier.

CHÈVRE Pâte molle

Le gramat

FROMAGE FERMIER

Le gramat, issu du lait de chèvres du Quercy, ressemble beaucoup au rocamadour, tant par son goût que par sa méthode de fabrication. Couvert d'un duvet blanc, il a cependant davantage de goût, du fait de son égouttage un peu plus poussé.

Terroir : Quercy.
Diamètre : 10 cm.
Épaisseur : 1 cm.
Poids : 50 g.
Production : fermière.
Lait : cru et entier.

Vin blanc sec.

BREBIS fromage frais

Greuilh

FROMAGE FERMIER

Ce fromage, appelé "zembera" au Pays basque ou "greuilh" en Béarn, est une recuite de petit lait de brebis égoutté en toile. Il ne se conserve que huit jours. Il se déguste sans sucre, avec du café ou de l'Armagnac et de la confiture de pruneaux.

Terroir : Béarn et Pays basque.
Vendu en vrac, au poids.
Production : fermière.
Lait : petit lait cru, recuit.

Armagnac.

VACHE Pâte pressée

Laguiole

FROMAGE LAITIER - AOC

L'origine du laguiole pourrait bien être fort ancienne. Pline, en effet, fait référence à un fromage fabriqué sur le plateau basaltique de l'Aubrac, entre 800 et 1 400 mètres d'altitude. Des textes du IVe siècle en parlent également. Aujourd'hui, le laguiole se fabrique soit en "burons" (chalets d'alpage) soit en laiteries. Le caillé est rompu et mis sous presse, où il subit une légère maturation. Il est ensuite à nouveau broyé. Brisée et salée, la pâte est alors placée dans un moule garni d'une toile spéciale. Après un autre pressage, elle est affinée en cave durant quatre à neuf mois. La croûte, d'au moins trois centimètres d'épaisseur, est blanc orangé ou brun ambré. La pâte, jaune paille, est lisse. Ce fromage est à la fois souple et ferme, à la saveur franche, légèrement aigrelette. Sa consistance est onctueuse et fondante en bouche. Le laguiole tire toute sa saveur de la végétation parfumée dont se nourrissent les vaches. Fromage de plateau, le laguiole se consomme toute l'année, mais on préfèrera ceux fabriqués entre mai et octobre. Lorsqu'il est encore frais, il entre dans la composition de l'aligot, plat traditionnel de l'Aubrac.

Terroir : trente communes de l'Aubrac, réparties entre l'Aveyron, le Cantal et la Lozère.
Diamètre : 40 cm.
Épaisseur : 40 cm.
Poids : 45 kg à 48 kg.
Production : laitière.
Lait : cru et entier.

Marcillac, Costières de Nîmes.

Pour preuve de son origine, le laguiole porte, imprimé à même sa croûte, un taureau, entouré du mot "Laguiole".

VACHE Pâte pressée

Moulis

FROMAGE ARTISANAL

Le moulis porte le nom de la ville dont il est issu. Il est fabriqué depuis de nombreuses années par une petite entreprise familiale. Ce fromage au lait de vache, à pâte légèrement pressée et non cuite, peut se vendre jeune ou vieux. Affiné durant un à trois mois, il est lavé à la saumure, puis brossé et retourné. Il développe une croûte naturelle, sèche, parsemée de moisissure blanche, marron et noire. En vieillissant, elle fonce davantage. Sa pâte est légèrement élastique, de couleur paille à jaune foncé, avec de nombreux trous. Il dégage une saveur douce et délicate, qui pique un peu, en laissant un arrière-goût de moisi. Fromage de plateau, il se consomme toute l'année.

Terroir : Pyrénées.
Diamètre : 22 cm à 24 cm.
Épaisseur : 7 cm.
Poids : 3,5 kg.
Production : artisanale.
Lait : cru.

Vin rouge léger à corsé, selon l'affinage.

BREBIS Pâte molle

Nabouly d'en haut

FROMAGE FERMIER

Le nabouly est un fromage au lait cru de brebis, à pâte molle. Ovoïde, il évoque la forme d'un ballon de rugby écrasé. Affinée pendant trois semaines, sa pâte se recouvre d'"odium lactis". Il développe un goût ovin assez flatteur.

Terroir : Pyrénées.
Longueur : 18 cm.
Épaisseur : 3 cm à 4 cm.
Poids : 180 g.
Production : fermière.
Lait : cru entier.

Madiran.

Ossau iraty

FROMAGE FERMIER OU LAITIER - AOC

Les puristes s'élèvent contre le regroupement de ces deux fromages, l'ossau et l'iraty, issus de terroirs différents, mais pourtant réunis sous une même appellation (essentiellement administrative). L'ossau est le pur brebis du Béarn, de cinq kilos environ, au talon convexe. Affiné en croûte lavée, il possède une pâte ferme mais onctueuse et une croûte orangée. L'iraty (ou "ardi-gasna", en basque) est le pur brebis du Pays basque. Il pèse entre un kilo et demi et trois kilos, et présente un talon droit. Affiné en croûte brossée, de couleur grisâtre, il possède une pâte sèche. L'appellation d'origine contrôlée, ossau iraty, qui se veut fédératrice de ces deux régions proches mais de culture différente, a le mérite de véhiculer, pour le bénéfice des fabrications en laiteries, une forte image d'authenticité pyrénéenne. La pâte blanche et lisse des fromages bénéficiant de cette AOC est légèrement pressée et non cuite. De forme cylindrique, ils contiennent au moins 50 % de matière grasse et possèdent une croûte épaisse, naturelle et séchée, dont la couleur varie du jaune orangé au gris. Ils dégagent une odeur assez peu développée, mais possèdent une riche saveur de terroir. "Laruns" est la dénomination du fromage de brebis d'Ossau, produit en début de lactation, entre novembre et mai, en basse vallée d'Ossau, entre Arudy et Laruns. Fabriqué en chaudrons par les bergers, il est affiné en "saloirs",par frottage à l'eau salée pour maintenir
une croûte grasse. Ce fromage prend la dénomination d'ossau, lorsqu'il se fabrique en montagne, entre juin et août.
Sur toute la partie occidentale de la chaîne pyrénéenne se fabriquent aussi des fromages mixtes, de lait de brebis et de vache, ainsi que du pur vache.
Ils possèdent les mêmes caractéristiques physiques que le laruns, mais leur pâte, qui présente plus d'ouvertures, est moins apte au vieillissement. La vallée d'Aspe, au relief moins pentu et donc plus propice à la présence de vaches, produit ces deux spécialités. Tous ces fromages sont affinés en "saloirs" humides et frais. Fromages de plateau, ils se dégustent du printemps à l'été. L'iraty se consomme en fines lamelles, avec de la confiture de cerises noires d'Itxassou.

Terroir : Béarn et Pays basque.
Diamètre : 26 cm.
Épaisseur : 12 cm à 14 cm.
Poids : 2 kg à 5 kg.
Production : surtout laitière.
Lait : entier

Madiran, Irouléguy, Jurançon.

Cette marque, inscrite sur la croûte de l'ossau, permet au berger de récupérer les fromages qu'il a déposés chez l'affineur. Simple dépositaire, ce dernier se rémunère, conformément à la règle en vigueur dans les Pyrénées, en prélevant un fromage sur douze.

Tenant son nom de ses deux provinces d'origine, le Béarn et le Pays basque, l'ossau iraty est un fromage dont la croûte lavée varie du jaune orangé au gris. Sa pâte est blanche et lisse.

VACHE Pâte molle

Pas de l'Escalette

FROMAGE FERMIER

Le pas de l'Escalette est un pur produit d'un milieu très aride. Ce fromage au lait de vache ou de chèvre, à pâte molle, a une croûte naturelle très légèrement lavée. Affiné pendant un mois environ, il possède une pâte moelleuse et crémeuse, qui fond dans la bouche. Il laisse au palais un goût de levure qui varie en fonction des herbes de garrigue que les bêtes ont mangées.
Ce fromage de plateau se consomme toute l'année, en toute occasion. Il a la propriété de ne jamais dénaturer le vin.

Terroir : sud de l'Aveyron.
Diamètre : 12 cm.
Épaisseur : 2 cm.
Poids : 250 g.
Production : fermière.
Lait : cru entier.

Vin rouge moyen.

CHÈVRE Pâte molle

Pavé de la Ginestarié

FROMAGE FERMIER

Le pavé de la Ginestarié est un chèvre à pâte molle, non pressée et non cuite, dont la croûte porte des traces de paille. Ce fromage biologique, fabriqué dans l'Albigeois, est affiné dans la paille pendant deux semaines environ. Il vient à maturation grâce aux bactéries produites par cette paille. En cours d'affinage, il développe une croûte naturelle ivoire et une pâte blanche onctueuse, au goût caprin. Fromage de plateau, il se consomme du printemps à l'automne.

Terroir : Albigeois.
Longueur : 8 cm.
Épaisseur : 2 cm à 2,5 cm.
Poids : 150 g à 200 g.
Production : fermière.
Lait : cru entier.

Vin blanc sec, léger.

CHÈVRE Pâte tendre

Pélardon des Cévennes

FROMAGE ARTISANAL ET FERMIER

Pélardon est un terme générique qui désigne tous les petits fromages de chèvre. Le pélardon des Cévennes est un fromage de création récente, fabriqué près d'Alès, dans le Gard. Ce chèvre, à pâte tendre, non pressée et non cuite, a très peu de croûte. Affinée durant deux à trois semaines, sa pâte est compacte. Il possède un délicieux goût de noisette. Le pélardon est un fromage de plateau qui se déguste du printemps à l'automne. Il peut également se consommer chaud, dans des salades.

Terroir : Gard (Cévennes).
Diamètre : 6 cm à 7 cm.
Épaisseur : 2 cm à 3 cm.
Poids : 60 g à 100 g.
Production : fermière ou artisanale.
Lait : cru entier.

Côtes-de-Provence.

Créé récemment et en attente de l'obtention d'une appellation d'origine contrôlée, le pélardon des Cévennes est un fromage de chèvre fabriqué près d'Alès, dans le Gard.

BREBIS **Pâte molle**

Pérail

FROMAGE FERMIER OU ARTISANAL

Ce fromage est fabriqué en début et en fin de lactation, quand les laiteries de roquefort ne sont pas encore ouvertes. Issu du lait des brebis qui paissent sur les plateaux calcaires du Larzac, le pérail est un caillé doux, sans acidité, dont l'affinage dure au moins une semaine. De consistance molle, il dégage une bonne odeur de brebis. Sa pâte est onctueuse. Il se consomme frais, crémeux, en fin de repas, de l'hiver à l'été.

Terroir : Rouergue.
Diamètre : 8 cm à 10 cm.
Épaisseur : 1,5 cm à 2 cm.
Poids : 80 g à 120 g.
Production : fermière.
Lait : cru entier.

Saint-Chinian.

CHÈVRE **Pâte molle**

Rieumoise

FROMAGE FERMIER

La rieumoise est une brique au lait de chèvre cru, à pâte molle, non pressée, non cuite, couverte de pénicillium sauvage. Ce fromage, affiné durant trente à quarante-cinq jours, a un goût caprin très développé qui n'en reste pas moins d'une grande finesse. Il se consomme en fin de repas, du printemps à l'automne.

Terroir : Pyrénées.
Longueur : 18 cm.
Épaisseur : 2,5 cm.
Poids : 250 g.
Production : fermière.
Lait : cru entier.

Madiran.

CHÈVRE **Pâte molle**

Rocamadour

FROMAGE FERMIER OU ARTISANAL - AOC

Jadis appelé "cabécou de Rocamadour", ce qui signifie, en occitan, "petit fromage de chèvre", le rocamadour est le plus ancien fromage du Quercy. Dans une monographie du XVe siècle, Jean Meulet précise que ce fromage représente une valeur de métayage et d'impôt. Issu de lait de chèvre cru et entier, emprésuré à chaud, il contient 45 % de matière grasse. Le caillé, qui coagule pendant au moins vingt-quatre heures, est salé, puis préégoutté, avant d'être moulé manuellement. Ce chèvre est ensuite affiné en hâloir, pendant environ six jours, à une température de 10 °C. Il se couvre à ce moment d'une peau striée et veloutée. Sa pâte, souple, est blanche, crème ivoire ou beige foncé. En bouche, il dégage une saveur de chèvre fondante et moelleuse. Le rocamadour se consomme de mars à novembre, en fin de repas, dans des salades. Il entre aussi dans la composition de recettes régionales.

Terroir : Quercy (l'essentiel du Lot et une partie de l'Aveyron, de la Corrèze, de la Dordogne et du Tarn-et-Garonne).
Diamètre : 6 cm.
Épaisseur : 1,6 cm.
Poids : 35 g.
Production : fermière ou artisanale.
Lait : cru entier.

Cahors.

Après six jours d'affinage en hâloir, à 10 °C, le rocamadour se couvre d'une peau striée et veloutée. C'est le plus ancien fromage du Quercy.

Roquefort

FROMAGE ARTISANAL OU LAITIER - AOC

On dit que le roquefort était le fromage favori de Charlemagne. La charte accordant aux habitants de Roquefort *« le monopole de l'affinage tel qu'il est pratiqué de temps immémoriaux dans les grottes dudit village »* ne fut pourtant signée qu'en 1411, par Charles VI. Depuis, sa fabrication relève d'une tradition immuable. Chauffé, le lait est caillé à l'aide de présure, puis ensemencé de "pénicillium roqueforti" soit au moment de l'emprésurage soit lors de la mise en moule, après découpage et brassage du caillé.
Le roquefort est ensuite retourné cinq fois par jour, au cours de l'égouttage. Une fois salés, les pains sont transportés à Roquefort-sur-Soulzon, dans l'Aveyron, pour y être affinés pendant au moins quatre mois. Des caves d'affinage ont été aménagées dans un immense éboulis rocheux calcaire, en bordure des Grands Causses, sous le plateau de Combalou. L'air humide y pénètre par de grandes failles naturelles : les "fleurines".
La croûte de ce cylindre, qui mesure dix-neuf à vingt centimètres de diamètre et dont le poids varie entre deux kilos et demi et un peu moins de trois kilos, est saine, blanche et légèrement luisante. Sa pâte persillée, non pressée et non cuite, est veinée uniformément de bleu. Elle contient au moins 52 % de matière grasse.

Terroir : Rouergue (Aveyron, Aude, Gard, Hérault, Lozère et Tarn).
Diamètre : 19 cm à 20 cm.
Épaisseur : 8,5 cm à 10,5 cm.
Poids : 2,5 kg à 2,9 kg.
Production : artisanale ou laitière.
Lait : cru et entier.

Châteauneuf-du-pape, Sauternes, Jurançon moelleux.

Après dix à douze mois, la pâte présente une superbe onctuosité. Au nez, le roquefort dégage un bouquet particulier, unique, où le goût de bleu et la saveur ovine sont en parfaite harmonie.
Il présente aussi une légère odeur de moisissure. En bouche, il offre une saveur à la fois fine et prononcée. Présenté dans un emballage de papier d'aluminium portant l'appellation "roquefort", accompagné du sigle "AOC" et de la marque confédérale de la "Brebis rouge", le roquefort se déguste toute l'année. Pour apprécier les qualités de ce fromage issu de lait de brebis, à la différence des autres pâtes persillées, il est nécessaire d'éviter des variations de température trop brusques. Ainsi, en plateau, le morceau de roquefort doit être chambré au moins une heure avant le repas. Cet ambassadeur des Causses entre aussi dans de nombreuses préparations culinaires : canapés, salades, soufflés, feuilletés...

Couvert d'une croûte légèrement humide, le roquefort possède une pâte veinée de bleu. Celle-ci présente une rare onctuosité, et laisse en bouche un parfait sentiment d'harmonie entre saveur ovine et goût de bleu.

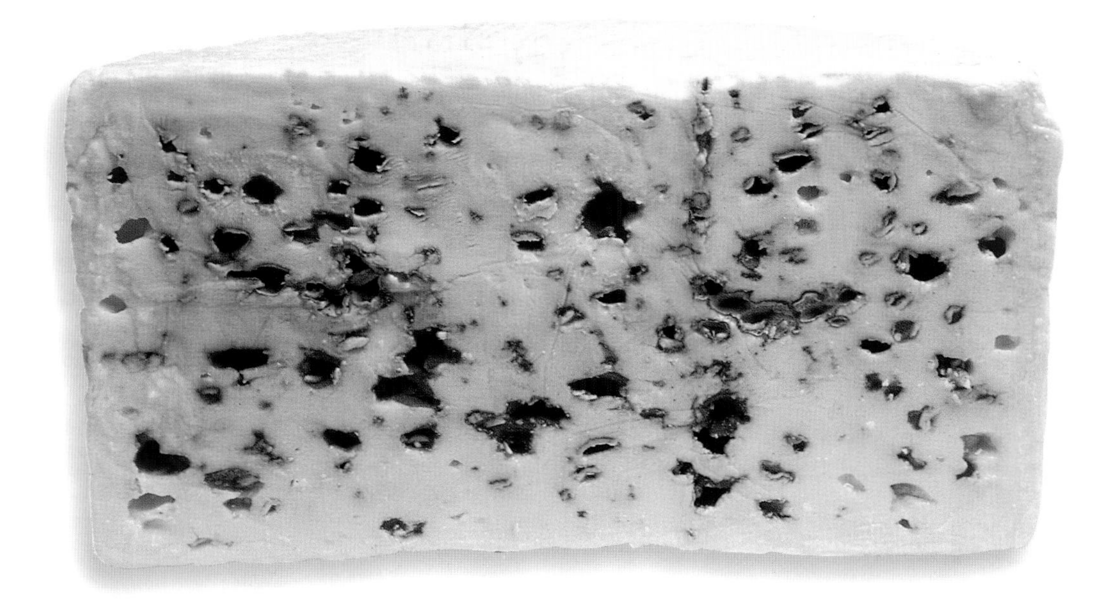

CHÈVRE Pâte molle

Saint-Nicolas de la Dalmerie

FROMAGE MONASTIQUE

Ce petit lingot à la croûte couverte d'un léger duvet d'"odium lactis" et de pénicillium possède un parfum de thym très marqué, dû à l'alimentation des chèvres qui parcourent la garrigue. Les moines orthodoxes, qui procèdent à sa fabrication, font perdurer cet élevage traditionnel.

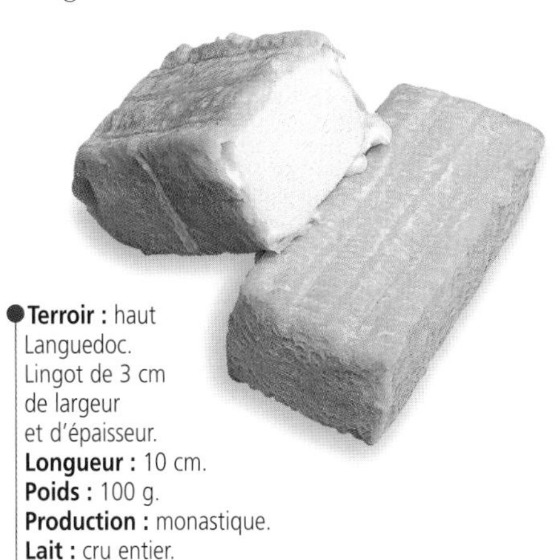

- **Terroir :** haut Languedoc. Lingot de 3 cm de largeur et d'épaisseur.
- **Longueur :** 10 cm.
- **Poids :** 100 g.
- **Production :** monastique.
- **Lait :** cru entier.

Vin blanc perlé de Gaillac.

BREBIS Pâte pressée

Tommette des Corbières

FROMAGE FERMIER

Ce fromage de brebis, de forme hexagonale, présente une pâte souple et fondante sous une croûte lavée au vin de Grenache. Il possède une très belle finesse de goût, au caractère ovin délicat.

- **Terroir :** Corbières.
- **Diamètre :** 15 cm.
- **Épaisseur :** 4 cm.
- **Poids :** 450 g.
- **Production :** fermière.
- **Lait :** cru entier.

Grenache.

Sa forme hexagonale caractérise ce fromage de brebis, dont la croûte est lavée au vin de Grenache.

BREBIS Pâte pressée

Tommette du Pays basque

FROMAGE LAITIER

Ce petit fromage de brebis, fabriqué en laiteries, est cylindrique. Sa pâte est ferme et révèle un affinage court. Sur sa croûte naturelle germent de belles moisissures qui, suivant les stades d'affinage, varient de l'orangé au gris foncé.

- **Terroir :** Pays basque.
- **Diamètre :** 10 cm.
- **Épaisseur :** 10 cm.
- **Poids :** 800 g.
- **Production :** laitière.
- **Lait :** entier chauffé.

Irouléguy.

Couverte de belles moisissures, la tommette du Pays basque bénéficie d'un affinage court.

VACHE Pâte pressée

Trappe d'Échourgnac

FROMAGE MONASTIQUE

L'échourgnac est fabriqué depuis 1868 par les moniales de la Trappe de Bonne-Espérance, dans le Périgord. Ce fromage au lait de vache, à la pâte légèrement pressée, a une croûte humide qui rebondit sous les doigts. Affiné pendant trois mois, dont deux dans les caves de l'abbaye, il développe une croûte orangée. Sa saveur est douce et onctueuse. Ce fromage se consomme toute l'année.

- **Terroir :** Périgord.
- **Diamètre :** 20 cm.
- **Épaisseur :** 6 cm.
- **Poids :** 300 g.
- **Production :** monastique.
- **Lait :** pasteurisé.

Cahors.

Aligot

Émiettez la tomme fraîche pendant que les pommes de terre cuisent à l'eau. Écrasez-les en purée, puis ajoutez de la crème, du beurre et du sel. Faites cuire à feux doux, tout en remuant. Quand la purée est très chaude, versez peu à peu les miettes de tomme fraîche, tout en continuant à bien remuer pour que le mélange soit homogène.
Augmentez le feu et tournez encore pendant un quart d'heure. Servez chaud.
L'aligot peut être accompagné de salade et d'un peu d'ail haché.

Les ingrédients
500 g de tomme fraîche de laguiole.
1 kg de pommes de terre.
3 cuillères à soupe de crème fraîche.
100 grammes de beurre
Du sel.

Tartelettes
au rocamadour

Étalez la pâte brisée et découpez des disques dont la taille est supérieure à celle des moules individuels utilisés. Placez la pâte au fond de chaque moule préalablement beurré.
Dans un saladier, mélangez le lait, la crème et 4 rocamadours que vous avez écrasés. Ajoutez ensuite le magret en fines lamelles. Garnissez la pâte du mélange obtenu et coiffez le tout de rocamadour entier. Faites cuire à four chaud pendant 20 minutes. Servez chaud.

Les ingrédients
10 cl de lait.
10 cl de crème fraîche.
2 œufs.
80 g de magret fumé.
8 rocamadours.
De la pâte brisée.

Roquefort
crémeux aux raisins

Taillez 4 demi-lunes d'épaisseur égale dans le morceau de roquefort. Rincez les raisins à l'eau et faites-les macérer dans de l'eau de noix.
Le lendemain, mélangez les noix concassées avec le mascarpone et les raisins. Alternez les 4 demi-lunes de roquefort avec trois couches de préparation aux noix et aux raisins.

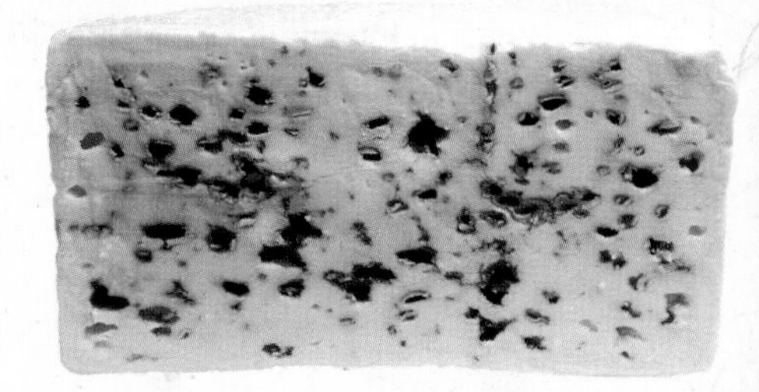

Les ingrédients
1/4 de roquefort.
100 g de noix fraîches.
50 g de raisins secs blonds.
15 cl d'eau de noix.
250 g de mascarpone.

L'AOC, *un pays, un produit*

LABEL DE QUALITÉ, L'APPELLATION D'ORIGINE CONTRÔLÉE NE CONCERNE QU'UNE TRENTAINE DE FROMAGES RÉPONDANT À DE SÉVÈRES EXIGENCES. MAIS LE CONSOMMATEUR DOIT FAIRE PREUVE DE VIGILANCE...

Le laguiole était, à l'origine, fabriqué avec le lait des vaches de l'Aubrac jusqu'en 1960. Puis, on fit venir des pies noires (Holstein), plus productives, et, enfin, à partir de 1976, des pies rouges (Siemmental ; race suisse), tout aussi rentables mais plus adaptées au terroir. Pour obtenir une production de meilleure qualité, le laguiole ne sera bientôt plus produit qu'avec du lait des vaches Siemmental... et Aubrac !

L'appellation d'origine contrôlée (AOC) est un label créé pour promouvoir la qualité et la fabrication traditionnelle dans le secteur alimentaire. Reconnu par l'Union européenne depuis 1992, il concerne particulièrement les spiritueux et les produits laitiers, parmi lesquels les fromages, depuis une loi datant de 1955.

Parmi les quatre à cinq cents fromages que compte l'Hexagone, seuls trente-cinq bénéficient d'une AOC (au total 170 000 tonnes, soit 16 % de la production fromagère annuelle).

Labellisés au terme d'une minutieuse enquête, ces fromages doivent appartenir à un terroir et répondre, en outre, à un cahier des charges sévèrement défini par l'Inao (Institut national des appellations d'origine).

Ces exigences concernent la nourriture des bêtes, parfois la race, le type de lait, les méthodes de fabrication et la durée d'affinage des fromages, l'organisation des producteurs en syndicats ou comités de défense du fromage, etc.

Abondance.

Mais le cahier des charges, établi avec les syndicats de défense de chaque appellation, est également défini pour assurer la pérennité de la production. Si les contraintes économiques prennent le pas sur la recherche de qualité, certaines dérives deviennent possibles. Parmi celles-ci, l'extension de la zone de la collecte du lait ; le nourrissage des bêtes faisant la part belle au foin importé, au détriment de l'herbe locale ; ou encore un affinage parfois un peu trop rapide, pour répondre à une demande souvent pressante.

Le consommateur doit toujours rester vigilant, au risque d'être déçu... ■

35 APPELLATIONS D'ORIGINE CONTRÔLÉE

FROMAGES DE VACHE

- Abondance, décret du 23 mars 1990.
- Beaufort, décret du 4 avril 1968.
- Bleu d'Auvergne, décret du 7 mars 1975.
- Bleu des Causses, jugement du 19 novembre 1953.
- Bleu de Gex ou du Haut-Jura, jugement du 25 juillet 1935.
- Brie de Melun, décret du 18 août 1980.
- Brie de Meaux, décret du 18 août 1980.
- Camembert de Normandie, décret du 31 août 1983.
- Cantal, 17 mai 1956.
- Chaource, décret du 19 août 1970.
- Comté, jugement du 22 juillet 1952.
- Époisses, décret du 14 mai 1991.
- Fourmes d'Ambert et de Montbrison, décret du 9 mai 1972.
- Laguiole, décret du 21 décembre 1961.
- Langres, décret du 14 mai 1991.
- Livarot, décret du 17 décembre 1975.
- Maroilles, jugement du 17 juillet 1955.
- Mont d'or, décret du 24 mars 1981.
- Munster, décret du 21 mai 1969.
- Pont-l'évêque, décret du 30 août 1972.
- Neufchâtel, décret du 3 mai 1969.
- Reblochon, décret du 7 août 1958.
- Salers, décret du 21 décembre 1961.
- Saint-nectaire, jugement du 1er décembre 1955.

Bleu d'Auvergne.

Bleu de Gex.

Brie de Meaux.

FROMAGES DE CHÈVRE

- Cabécou-Rocamadour, décret du 16 juillet 1996.
- Chabichou du Poitou, décret du 29 juin 1990.
- Crottin de Chavignol, décret du 13 février 1976.
- Pouligny saint-pierre, décret du 14 février 1972.
- Picodon, décret du 25 juillet 1983.
- Sainte-maure de Touraine, décret du 29 juin 1990.
- Selles-sur-cher, décret du 21 avril 1975.
- Valençay, décret du 13 juillet 1998.

Chabichou du Poitou.

Saint-nectaire.

FROMAGES DE BREBIS

- Ossau iraty, décret du 6 mars 1980.
- Roquefort, jugement du 22 novembre 1921.

Comté.

FROMAGE DE LACTOSÉRUM DE CHÈVRE OU DE BREBIS

- Brocciu, décret du 3 juin 1983.

L'Auvergne

avec Jean-Pierre Morin, fromager à Aurillac

NORD DE LA FRANCE - CHAMPAGNE ET ILE -DE-FRANCE

L'Auvergne, on le sait, est un plateau de fromages... doux comme les pâturages, puissants comme les volcans. À Aurillac, à la fromagerie Morin, père et enfants soignent des fromages venus des meilleures fermes de cette région, que composent l'Allier, le Cantal, la Haute-Loire et le Puy-de-Dôme. C'est une étape incontournable pour (re)découvrir les saveurs particulières des grands classiques ou de quelques fromages moins connus.

Deux parcours gustatifs

Du cantal entre-deux à la fourme d'Ambert

Bleu, cantal et saint-nectaire

> « Saviez-vous que le cantal est le seul fromage français portant le nom de son département ? »

Bonnes adresses

DANIELLE BLANCHET - 14, rue Hôtel-des-Postes, 03200 Vichy.
FROMAGERIE DAFFIX - 24, rue Saint-Amable, 63200 Riom.
FROMAGERIE MORIN - 7, rue du Buis, 15000 Aurillac.
LA FERMETTE - 2, rue Lufbery, 63400 Chamalières.

VACHE **Pâte persillée**

Bleu d'Auvergne

FROMAGE LAITIER - AOC

Terroir : Cantal, Puy-de-Dôme et une partie de la Haute-Loire, de l'Aveyron, de la Corrèze, du Lot et de la Lozère.
Diamètre : 20 cm.
Épaisseur : 8 cm à 10 cm.
Poids : 2 kg à 3 kg.
Production : laitière.
Lait : cru ou pasteurisé.

Madiran, Gaillac, Cahors, Banyuls.

Le bleu d'Auvergne a été créé au milieu du XIXe siècle, après qu'un paysan eut l'idée d'ensemencer son caillé avec une moisissure bleue qu'il avait vue se développer sur du pain de seigle, puis de le percer avec une aiguille pour que l'air y pénètre et favorise son développement. Ce fromage à pâte persillée, non pressée et non cuite, est mis en moule après égouttage et brassage. Il est retourné, salé et piqué. Son affinage s'effectue pendant trois semaines, en cave humide et fraîche. La pâte doit être lisse et régulière, avec un persillage vert foncé à bleu. Des reflets bleu-vert colorent sa croûte naturelle et brossée. Son odeur assez forte témoigne de sa vitalité et sa puissante saveur est corsée au palais. Le bleu d'Auvergne peut aussi être fabriqué en petites dimensions (10,5 cm de diamètre, en 350 g, 500 g ou 1 kg). Toute l'année, il peut être servi sur canapés, à l'apéritif, ou se déguster avec des salades, des pâtes, des tartes salées...

La pâte, qui contient au minimum 50 % de matière grasse, est bien ferme, onctueuse, et dégage une odeur assez forte.

VACHE **Pâte persillée**

Bleu de Laqueuille

FROMAGE LAITIER

Terroir : Puy-de-Dôme et Cantal.
Diamètre : 19 cm à 20 cm.
Épaisseur : 8,5 cm à 10 cm.
Poids : 2,3 kg à 2,7 kg.
Production : fermière.
Lait : pasteurisé.

Saint-Estèphe.

Inventée au XIXe siècle, cette pâte molle, persillée, tient son nom du village de Laqueuille, où elle était fabriquée par deux laiteries. Après avoir cessé sa production pendant une trentaine d'années, la société laitière de Laqueuille la fabrique à nouveau depuis trois ans. Ce fromage, qui appartient à la même famille que les fourmes d'Ambert et de Montbrison, était originellement ensemencé de moisissures prélevées sur du pain de seigle. Sa pâte tachetée de moisissures bleues développe un parfum de cave. Affiné un à deux mois en milieu humide, le bleu de Laqueuille possède une pâte plus onctueuse et plus douce que le Bleu d'Auvergne.

Parsemée de moisissures bleues, la pâte du bleu de Laqueuille dégage un parfum de cave.

VACHE **Pâte molle**

Brique du Forez

FROMAGE LAITIER

La brique du Forez, comme son nom l'indique, est fabriquée dans les monts du Forez. Elle peut être réalisée à partir de lait de chèvre pur ou bien mélangé avec du lait de vache. Dans ce dernier cas, sa croûte est légèrement grise ; sinon, elle est blanchâtre et couverte de moisissures bleues. Issue traditionnellement d'un caillé présuré, la brique du Forez provient aussi, depuis une vingtaine d'années, d'un caillé lactique. Avec cette modification, elle a sans doute perdu une partie de sa texture et de son goût particuliers. En revanche, elle a conservé ses 45 % à 50 % de matière grasse.

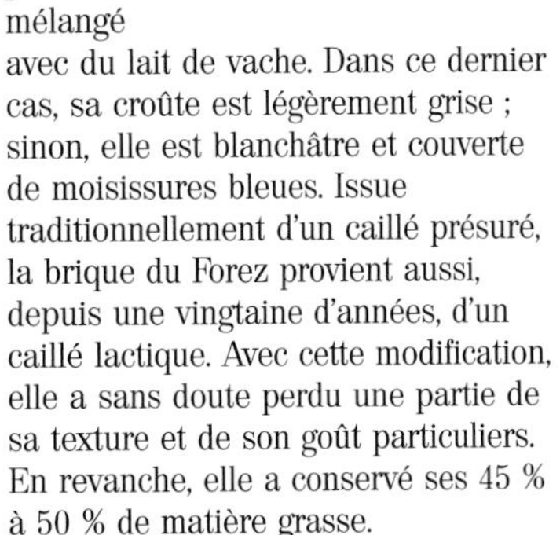

Terroir : monts du Forez.
Longueur : 12 cm à 15 cm.
Épaisseur : 8 cm.
Poids : 400 g.
Production : laitière.
Lait : pasteurisé.

Vins des Côtes roannaises.

Cantal

FROMAGE FERMIER OU LAITIER - AOC

Terroir : Cantal et plusieurs communes de l'Aveyron, de la Corrèze, de la Haute-Loire et du Puy-de-Dôme.
Diamètre : 40 cm.
Épaisseur : 45 cm.
Poids : 43 kg.
Production : fermière et laitière.
Lait : cru ou pasteurisé.

Saint-Pourçain rouge ou Côtes-d'Auvergne.

En partie effacé, le chiffre 15 identifie le département du Cantal, et les lettres EP, le fabricant.

Né au cœur du pays vert, le cantal est le doyen des fromages d'Auvergne. Les difficultés de circulation, liées au relief et au climat hivernal, ont conduit les ancêtres des maîtres fromagers à fabriquer un fromage de report, de taille importante. Pline l'Ancien notait, dans le livre XI de son "Histoire naturelle", que le fromage le plus estimé à Rome était celui du « pays de Gabalès et du Gévaudan ». Plus tard, l'"Encyclopédie Diderot et d'Alembert" décrivit la fabrication de cette pâte pressée non cuite, issue de lait de vache. Ce fromage, qui contient 45 % de matière grasse, peut aussi être fabriqué en deux petits formats : le petit cantal, de 20 kg, ou le cantalet, de 10 kg. Le caillé est rompu, travaillé en cuve et mis sous presse. Après une période de maturation, il est broyé et salé dans la masse, et à nouveau pressé pendant 48 heures. Son affinage dure trente jours au minimum, en cave pour le cantal jeune. Il se poursuit pendant quatre à six mois pour le cantal entre-deux et au-delà pour le cantal vieux. Sa croûte naturelle est gris clair et il possède une odeur légèrement lactique. Sa pâte ferme est fine et de couleur ivoire. Il révèle une délicate saveur noisettée. Fromage de plateau, il se consomme toute l'année. Il peut également faire l'objet de préparations culinaires.

VACHE Pâte pressée

Cantal entre-deux ou cantal doré

FROMAGE FERMIER OU LAITIER

Terroir : Cantal et plusieurs communes de l'Aveyron, de la Corrèze, de la Haute-Loire et du Puy-de-Dôme.
Diamètre : 40 cm.
Épaisseur : 45 cm.
Poids : 43 kg.
Production : fermière et laitière.
Lait : cru ou pasteurisé.

Saint-Pourçain rouge ou Côtes-d'Auvergne.

Le cantal entre-deux diffère du cantal jeune et du cantal vieux par son temps d'affinage. Comme son nom l'indique, il se situe entre les deux. Son affinage dure entre deux et six mois. La croûte grise, qu'il possède jeune, devient bouton d'or en vieillissant, et son goût au parfum d'herbages est plus marqué.
Fromage de plateau, il se consomme toute l'année, en fin de repas, ou à tout moment de la journée, comme en-cas.

Jeune ou entre-deux, le cantal conserve toujours sa fine pâte, de couleur ivoire.

VACHE Pâte pressée

Fouchtra

FROMAGE ARTISANAL OU FERMIER

Fromage typique de la région d'Aurillac, le fouchtra demande à être affiné entre deux et six mois avant d'atteindre sa plénitude. Cette tomme possède un goût gras et prononcé qui la rend unique.
Fromage de plateau, elle se déguste toute l'année, jeune ou vieille.

Terroir : Cantal.
Diamètre : 30 cm.
Épaisseur : 18 cm.
Poids : 7 kg à 8 kg.
Production : fermière.
Lait : cru.

Saint-Pourçain rouge ou Côtes-d'Auvergne.

VACHE Pâte persillée

Fourmes d'Ambert et de Montbrison

FROMAGE ARTISANAL OU LAITIER - AOC

Couverte d'une fine croûte sèche et fleurie, elle peut présenter des moisissures blanches et rouges.

Quelques légendes rapportent qu'en pays arverne, bien avant l'arrivée des Romains, les druides gaulois connaissaient déjà la fourme. De façon certaine, il est permis de faire remonter l'origine des fourmes d'Ambert et de Montbrison au VIIIe siècle. Elles sont nées dans les monts du Forez, où les étés sont chauds et les hivers longs et froids. Le lait y est recueilli entre 600 m et 1 600 m d'altitude. La fourme est dérivée du mot forme. Elle tient son nom de ce récipient, un cylindre plus haut que large, qui sert à contenir le caillé.
La production, exclusivement fermière autrefois, était réalisée en estive (l'été, à l'alpage), dans des loges toujours situées en contrebas d'une source et traversées par un ruisseau. Ces constructions basses, au toit de paille, regroupées en hameaux, s'appelaient des "jasseries". C'est dans ces bâtiments, construits en bois jusqu'au Moyen Âge, que les montagnards transformaient le lait, dans une hygrométrie et une température idéales.
La fourme d'Ambert est un fromage au lait de vache, à pâte persillée, non pressée et non cuite. Le lait est emprésuré à chaud. Le caillé, découpé et brassé, est mis en moule à la main. Il est ensuite égoutté et séché. Retourné, il est piqué afin de favoriser la pousse du bleu. Cette pâte persillée est affinée en cave pendant au moins vingt-huit jours, au cours desquels elle développe une croûte naturelle sèche, jaunâtre, feutrée de gris et fleurie de taches rouge orangé.
Sa pâte, de couleur crème, contient au minimum 50 % de matière grasse, et les moisissures sont peu prononcées. Elle dégage une légère odeur de cave et une saveur douce et fruitée.
Ce fromage de plateau, qui se consomme de l'été à l'hiver en fin de repas, peut aussi servir à la préparation d'entrées, de salades, de soufflés ou de crêpes fourrées.

Terroir : Puy-de-Dôme, Loire et cinq cantons du Cantal, autour de Saint-Flour.
Diamètre : 13 cm.
Épaisseur : 19 cm.
Poids : 2 kg.
Production : artisanale et laitière.
Lait : pasteurisé.

Gigondas ou Sancerre, Vouvray tendre.

VACHE Pâte pressée

Gaperon

FROMAGE ARTISANAL OU FERMIER

Le gaperon tiendrait son nom du mot "gap ou gape", qui signifie babeurre en auvergnat. Appelé parfois "lait de beurre" ou "lait battu", il était autrefois mélangé à du lait frais.
Ce fromage de vache, à pâte pressée mi-dure, en forme de dôme, est travaillé avec de l'ail et du poivre moulu. C'est ce qui lui donne sa saveur des plus particulières, légèrement piquante. Affiné pendant un à deux mois, suspendu à un crochet, à côté de la cheminée, il possède en plus un goût légèrement fumé. Sa pâte pauvre en matière grasse s'étale particulièrement bien. Fromage de plateau, il se consomme toute l'année.

Terroir : Auvergne.
Diamètre à la base : 8 cm à 9 cm.
Épaisseur : 8 cm à 9 cm.
Poids : 250 g à 350 g.
Production : fermière et artisanale.
Lait : cru ou pasteurisé.

Côtes-d'Auvergne.

VACHE Pâte pressée

Terroir : 72 communes du Puy-de-Dôme et du nord du Cantal.
Diamètre : 21 cm.
Épaisseur : 5 cm.
Poids : 1,7 kg.
Production : fermière et laitière.
Lait : cru ou pasteurisé.

Rouge de Boudes, Saint-Émilion.

Saint-Nectaire

FROMAGE FERMIER OU LAITIER - AOC

Le saint-nectaire apparaît dans la gastronomie au XVIIe siècle. À cette époque, il est déjà connu à Paris où le maréchal de France, Henri de La Ferté-Sennecterre, l'a rendu célèbre à la table du roi Louis XIV. Legrand d'Aussy écrit, en 1768, après un voyage en Auvergne : « Si l'on veut vous y régaler, c'est toujours du saint-nectaire que l'on vous annonce. » Ce fromage à pâte pressée demi-ferme et non cuite se fabrique, lorsqu'il est fermier, au lait cru deux fois par jour, après la traite du matin et celle du soir. Une fois emprésuré à chaud, à 31°C ou 33 °C, le lait est mis à cailler dans un récipient appelé "baste" ou "gerle". Puis il est déposé dans des moules, et marqué d'une trace de caséine ovale, verte et salée. Mis sous presse, il est ensuite entreposé dans une chambre froide jusqu'au prochain marché. Affiné entre trois et six semaines, il est lavé à l'eau salée et développe une croûte naturelle, fleurie, blanche, jaune ou rouge. Sa pâte est fine, souple et onctueuse. Il dégage une légère odeur de champignon et sa saveur est noisettée et légèrement cuivrée.
Fromage de plateau, le saint-nectaire se déguste en été et à l'automne. Il entre aussi dans la composition de recettes régionales telle la soupe de Noël.

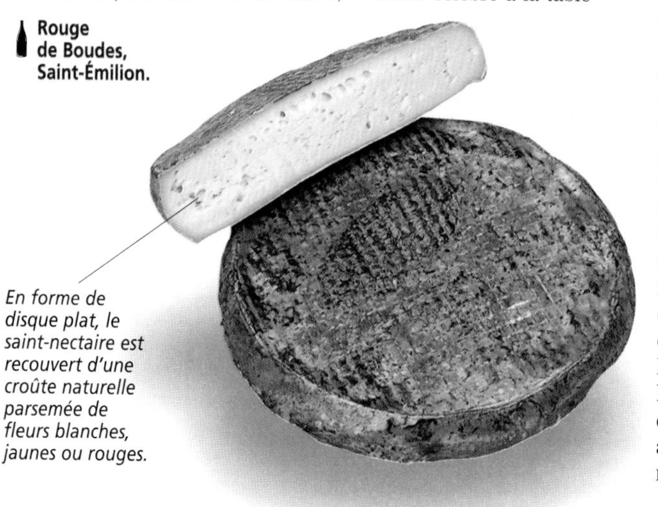

En forme de disque plat, le saint-nectaire est recouvert d'une croûte naturelle parsemée de fleurs blanches, jaunes ou rouges.

VACHE Pâte crue

Terroir : Cantal et des communes d'Aveyron, de Corrèze, de Haute-Loire et du Puy-de-Dôme.
Diamètre : 38 cm à 48 cm.
Épaisseur : 30 cm à 40 cm.
Poids : 35 kg à 55 kg.
Production : fermière.
Lait : cru.

Sancerre rouge ou Saumur-Champigny.

Les lettres SA désignent le salers ; le 15, le département du Cantal, et HN, le producteur.

Salers

FROMAGE FERMIER - AOC

L'histoire du salers se confond avec celle du Cantal. Le joli petit bourg de Salers, cité médiévale située à 930 mètres d'altitude au cœur des monts du Cantal, lui a donné son nom. Ce fromage de vache, cru et entier, à pâte ferme non pressée, non cuite, est fabriqué uniquement pendant la période de « mise en herbe », entre le 1er mai et le 31 octobre. Le lait est emprésuré et travaillé immédiatement après la traite. Affiné en cave profonde, fraîche et humide, pendant trois mois à un an, le salers a une croûte dorée, épaisse, fleurie de taches rouges et orangées. Sa pâte jaune dégage une saveur de terroir où se mêlent le réglisse, la gentiane et la myrtille. Son odeur est légèrement fruitée.
Le salers se consomme en fin de repas, toute l'année, nature ou avec une pomme et quelques noix, une grappe de raisin, une poignée de cerises ou quelques framboises.

VACHE Pâte molle

Murol

FROMAGE LAITIER

Fromage exclusivement laitier, le murol se présente sous la forme d'un cylindre évidé en son centre. Sa pâte, excessivement tendre, prend une belle couleur jaune, lorsqu'elle est à point. Sa croûte, lavée et humide, est de couleur orangée et présente quelques traces de toile, souvenir de son affinage.
Son goût est délicat et son odeur discrète. La partie centrale de cette pâte molle, non cuite, sert à fabriquer le murolait. Avec ses 3,5 cm de diamètre et ses 4,5 cm d'épaisseur, ce petit fromage est enveloppé de paraffine rouge. Il ne pèse guère plus de 50 grammes.

Terroir : Puy-de-Dôme et Cantal.
Diamètre : 12 cm.
Épaisseur : 4,5 cm.
Poids : 500 g.
Production : laitière.
Lait : pasteurisé.

Vins de la Côte fleurie.

Truffade
au cantal jeune

Faites chauffer quatre à cinq cuillerées d'huile dans une poêle, disposez les pommes de terre coupées en rondelles fines, salez, et faites cuire à petit feu pendant 20 à 30 minutes, sans laisser dorer. Les pommes de terre doivent cuire doucement dans l'huile. Écrasez les rondelles avec une fourchette, ajoutez le cantal coupé en fines tranches, mélangez le tout pendant 5 à 10 minutes. Vous obtenez une pâte homogène et filante. Éventuellement, enlevez l'excès de graisse, laissez dorer quelques instants, renversez sur un plat, et servez.

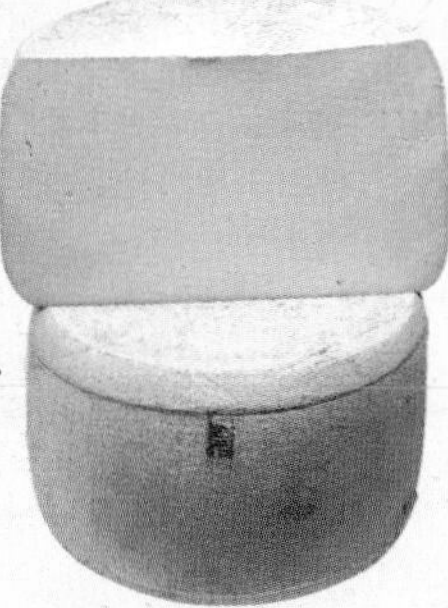

Les ingrédients
1 kg de pommes de terre.
240 grammes de cantal jeune.

Brioche
au saint-nectaire

Prenez le fromage et émiettez-le grossièrement à la main. Ajoutez le sel, le sucre, les œufs, la farine, la levure. Pétrissez la pâte, qui doit être ferme. Moulez en forme de couronne. Faites cuire à four chaud, jusqu'à ce que la brioche soit bien dorée.

Les ingrédients
500 grammes de saint-nectaire frais.
20 grammes de sel.
120 grammes de sucre.
3 œufs.
400 grammes de farine.
1 sachet de levure.

Filet de daurade
au Cantal

Faites fondre dans une poêle, avec du beurre, les blancs de poireaux finement coupés. Mouillez avec du vin blanc. Recouvrez d'eau à hauteur des poireaux. Laissez cuire 10 minutes à feu très doux. Coupez la moitié du cantal en lamelles et mélangez doucement avec les poireaux, de manière à ce qu'ils fondent ensemble et qu'ils lient la sauce. Dans un plat à gratin beurré, disposez les filets de poisson assaisonnés. Recouvrez avec les poireaux et le cantal. Parsemez le plat avec le reste de cantal découpé en petits cubes. Faites cuire 15 minutes à four chaud.

Les ingrédients
600 grammes de Daurade.
320 grammes de cantal.
2 blancs de poireaux.

1 cuillère de beurre.
1/2 verre de vin blanc.

Lexique

a

Affinage : période pendant laquelle le fromage bénéficie de traitements et de soins qui l'amènent à maturation.

AOC : appellation d'origine contrôlée.

b

Brousse : fromage fabriqué à base de petit lait.

c

Cabécou : petit fromage de chèvre.

Caillage : coagulation de la caséine (protéine du lait), sous l'action de la présure.

Caillé : masse grumeleuse résultant de la précipitation des matières grasses et autres matières solides du lait par fermentation naturelle et emprésurage.

Caillette : partie de l'estomac d'un jeune veau qui sert à la fabrication de la présure.

Caséine : matière azotée et protéique du lait.

Cave : local où les fromages sont entreposés durant l'affinage.

Coagulation : transformation du lait en masse solide, le caillé, de consistance plus ou moins molle.

Croûte fleurie : croûte couverte de moisissure blanche.

e

Emprésurage : action consistant à additionner de la présure au lait pour le faire cailler.

Ensemencement : action d'incorporer dans le lait des moisissures ou des ferments lactiques, nécessaires à la fabrication de certains fromages.

Extrait sec : ce qui reste du fromage après sa totale déshydratation (protéines, lipides, sels minéraux).

f

Faisselle : moule aux parois percées, dans lequel le caillé s'égoutte et prend forme.

Ferments lactiques : bactéries utilisées en fromagerie, qui transforment le lactose en acide lactique.

h

Hâloir : séchoir où sont déposés, après salage, les fromages à pâte molle, avant d'être mis en cave d'affinage.

l

Lactique : odeur de lait dégagée par le fromage.

Lactose : sucre fermentescible contenu dans le lait des mammifères.

Lait cru : lait n'ayant subi aucun traitement thermique.

Lait entier : lait qui ne subit pas d'opération d'écrémage.

Lénure : petite fissure dans la pâte des fromages à pâte dure.

m

Matière grasse : La teneur en matière grasse d'un fromage, indiquée en pourcentage, se rapporte, non pas au poids du fromage, mais à celui de l'extrait sec (ce qui reste du fromage lorsque l'eau a été retirée).

Morge : matière poisseuse située sur le dessus d'une croûte, due à des frottages réguliers avec de la saumure.

o

Odium lactis : duvet blanc recouvrant certains fromages.

p

Pénicillium : champignon microscopique, formant une moisissure de couleur variée, qui se nourrit du calcium de la pâte des fromages, la rendant onctueuse et souple.

Présure : liquide verdâtre contenant des ferments lactiques et des extraits de caillette (première poche de l'estomac des jeunes ruminants), laquelle permet la coagulation du lait.

r

Recuite : sérum épuré dans lequel il ne reste que de l'eau, du lactose et des sels minéraux.

s

Saumure : solution saturée d'eau et de sel, dans laquelle certains fromages sont immergés.

Index

CRÉDITS PHOTO : Nous avons confié l'ensemble des photographies de ce Guide des fromages à Jean-Jacques Raynal, photographe. Sauf p. 25 (h. et b. g.) ; p. 41 ; p. 54 (h. et b. g.) ; p. 66 (h. et b. g.) ; p. 81 (h. g.) ; p. 98 (h. d. et b. g.) ; p. 107 (h. d. et b. g.) : Michel Barberousse ; p. 50 (b.) et p. 53 (b.) : ANAOF. Cartographie : AFDEC